Romancier, journaliste, conférencier et pamphlétaire au style passionné, Georges Bernanos (né à Paris en 1888) a été profondément marqué par son éducation catholique parachevée par des études de lettres et de droit. D'abord journaliste et directeur d'un hebdomadaire monarchiste (1913-1914), engagé volontaire dans la cavalerie pendant la guerre, il devient ensuite inspecteur d'une compagnie d'assurances.

C'est pendant ses tournées qu'il écrit son premier roman : *Sous le soleil de Satan* (1926), dont le succès le décide à vivre désormais de sa plume. Suivront, principalement, *L'Imposture* (1927), *La Joie* (1929, prix Femina), *Le Journal d'un curé de campagne* (1936, Grand Prix du roman de l'Académie française), la *Nouvelle Histoire de Mouchette* (1937) et *Monsieur Ouine* (1945).

On doit notamment au pamphlétaire *La Grande Peur des bien-pensants* (1931) et *Les Grands Cimetières sous la lune* (1937), dénonciation retentissante des répressions franquistes.

Après *Nous autres, Français* et *Scandale de la vérité* publiés à la veille de la Seconde Guerre mondiale, il part pour le Brésil où il réside de 1938 à 1945, ne cessant de mettre son talent de polémiste au service de la France libre. C'est durant un séjour de deux ans en Tunisie qu'il écrivit *Dialogues des Carmélites*.

Georges Bernanos est mort à Neuilly le 5 juillet 1948.

Georges Bernanos

DIALOGUES
DES CARMÉLITES

*D'après une nouvelle
de Gertrud von Le Fort et
un scénario du R.P. Bruckberger
et de Philippe Agostini*

Éditions du Seuil

La première édition de cet ouvrage
a été publiée par les Éditions du Seuil
et les Éditions de la Baconnière en 1949.

TEXTE INTÉGRAL

ISBN 978-2-02-028542-1
(ISBN 2-02-001294-4, 1ʳᵉ publication
ISBN 2-02-000484-4, coll. « Livre de vie »
ISBN 2-02-006689-0, coll. « Points roman »
ISBN 2-02-026096-4 réédition brochée)

© Éditions du Seuil, 1949 et février 1996
pour la présente édition

A Christiane Manificat

« *En un sens, voyez-vous, la Peur est tout de même la fille de Dieu, rachetée la nuit du Vendredi-Saint. Elle n'est pas belle à voir — non ! — tantôt raillée, tantôt maudite, renoncée par tous... Et cependant, ne vous y trompez pas : elle est au chevet de chaque agonie, elle intercède pour l'homme.* »

La joie.

Personnages

Le Marquis de la Force.
La Marquise de la Force.
Le Chevalier, leur fils.
Blanche, leur fille (Sœur Blanche de l'Agonie du Christ).
Mme de Croissy (Mère Henriette de Jésus), Prieure du Carmel.
Mme Lidoine (Mère Marie de Saint-Augustin), nouvelle Prieure.
Mère Marie de l'Incarnation, sous-Prieure.
Mère Jeanne de l'Enfant-Jésus, doyenne d'âge.
Mère Gérald, Sœur Claire, Sœur Antoine, tourière, vieilles religieuses.
Sœur Catherine.
Sœur Félicité.
Sœur Gertrude.
Sœur Alice.
Sœur Valentine de la Croix.
Sœur Mathilde.
Sœur Anne.
Sœur Marthe.
Sœur Saint-Charles, Sœur Constance de Saint-Denis, très jeunes sœurs.
L'aumônier du Carmel.
M. Javelinot, médecin.
Le Marquis de Guiches.
Gontran.
Héloïse.
Rose Ducor, actrice.
Le notaire du couvent.
Thierry, laquais.

Antoine, cocher.
Délégués de la municipalité, commissaires, officiers
  civils.
Prisonniers, gardes, hommes et femmes du peuple.

Prologue

SCÈNE I

En 1774. Place Louis XV à Paris, le soir des fêtes données pour le mariage du Dauphin, futur Louis XVI, avec l'archiduchesse Marie-Antoinette. Les carrosses des aristocrates passent au milieu de la foule joyeuse contenue par le service d'ordre. Dans l'un des carrosses, on aperçoit un jeune couple, le Marquis de la Force et sa femme, qui est enceinte. Le Marquis descend de voiture et s'éloigne vers les tribunes.

Le feu d'artifice commence, mais soudain des caisses de fusées s'enflamment et les explosions se succèdent. Quoiqu'il n'y ait aucun danger grave, la panique s'empare de la foule. Bousculade, cris de peur, des gens tombent à terre et sont piétinés. La jeune Marquise, effrayée, pousse le verrou de la portière. Le cocher fouette les chevaux qui s'emballent et se lancent dans une course folle. Brusque colère de la foule, on arrête les chevaux, une vitre vole en éclats. Une voix d'homme crie : « Tout va changer bientôt, c'est vous autres qui serez massacrés, et nous roulerons dans vos carrosses ! » Les soldats surviennent à temps pour dégager la Marquise à laquelle on allait faire un mauvais parti.

SCÈNE II

*Quelques heures plus tard. Un médecin sort de la chambre
de la Marquise, à l'Hôtel de la Force. Il annonce au
Marquis qu'une fille vient de lui naître, mais que la jeune
mère est morte.*

Premier tableau

SCÈNE I

Hôtel de la Force. Avril 1789. Le Marquis et le Chevalier. Celui-ci est visiblement surpris par la présence de son père, mais il ne peut retenir la question qui lui brûle les lèvres :

LE CHEVALIER

Où est Blanche ?

LE MARQUIS

Ma foi je n'en sais rien, pourquoi diable ne le demandez-vous pas à ses femmes au lieu d'entrer chez moi sans crier gare, comme un Turc ?

LE CHEVALIER

Je vous demande mille pardons.

LE MARQUIS

A votre âge, il n'y a pas grand mal à être un peu vif, comme il est naturel au mien de tenir à ses habitudes. La visite de Monsieur votre oncle m'a fait manquer ma méridienne, et je m'étais tout à l'heure un peu assoupi, s'il faut tout dire... Mais que voulez-vous à Blanche ?

LE CHEVALIER

Roger de Damas qui sort d'ici a dû rebrousser chemin deux fois pour ne pas se trouver pris dans une grande masse de peuple. Le bruit court qu'ils vont brûler l'effigie de Réveillon en place de Grève.

LE MARQUIS

Hé bien, qu'ils la brûlent ! Lorsque le vin est à deux sols, on doit bien s'attendre à ce que le printemps échauffe un peu les têtes. Tout cela passera.

LE CHEVALIER

Si j'osais me permettre en votre présence de faire le mauvais plaisant, je répondrais qu'en ce qui concerne le carrosse de ma sœur, vous risquez de n'être pas trop bon prophète. Damas l'a vu arrêté par la foule, au carrefour de Bucy.

Le Marquis de la Force qui tenait sa tabatière ouverte la ferme brusquement sans y rien prendre, et comme le Chevalier s'approche, il le repousse doucement de sa main tendue.

LE MARQUIS

Le carrosse... la foule... pardonnez-moi, ce sont là des images qui ont trop souvent jadis hanté mes nuits... On parle volontiers aujourd'hui d'émeute ou même de révolution, mais qui n'a pas vu la multitude en panique n'a rien vu... Jarnibleu ! Tous ces visages à la bouche tordue, ces milliers et ces milliers d'yeux... Miséricorde ! D'une extrémité à l'autre, la place s'est mise à bouillir d'un seul coup, on voyait par-dessus voler les cannes et les chapeaux à une hauteur incroyable, comme lancés dans les airs par l'explosion d'un cri immense. Certains témoins m'ont juré depuis qu'ils n'avaient pas vu ces chapeaux et ces cannes, mais moi je les ai vus, par les mille diables !

LE CHEVALIER

Monsieur pardonnez-moi, j'aurais dû me douter... Une fois de plus, j'ai parlé comme un étourdi.

Le Marquis a repris sa tabatière. Il en tapote le couvercle du bout des doigts, en rêvant.

LE MARQUIS

Bah ! C'est ma vieille tête qui s'échauffe, elle aussi, trop vite. Mais qu'y a-t-il de commun, je vous le demande,

entre ce que j'ai vu à ce moment-là, et je ne sais quelle
petite émeute saisonnière, quel défilé d'ivrognes à travers les rues de Paris ? Mon carrosse est solide, les vieux
chevaux ne s'étonnent de rien, Antoine nous sert depuis
vingt ans, et les deux laquais sont d'anciens soldats du
régiment de Navarre. Il ne peut arriver à votre sœur rien
de fâcheux.

LE CHEVALIER

Oh ! ce n'est pas pour sa sécurité que je crains, vous le
savez, mais pour son imagination malade.

LE MARQUIS

Blanche n'est que trop impressionnable, en effet. Un
bon mariage arrangera tout cela. Allons ! Allons ! Une
jolie fille a bien le droit d'être un peu craintive.
Patience ! Vous aurez des neveux qui feront les cent mille
diables.

LE CHEVALIER

Croyez-moi : ce qui met la santé de Blanche en péril, ou
peut-être sa vie, ne saurait être seulement la crainte. Ou
alors, c'est la crainte refoulée au plus profond de l'être,
c'est le gel au cœur de l'arbre... Oui, croyez-moi,
Monsieur, l'humeur de Blanche a quelque chose qui
passe l'entendement ordinaire. Et peut-être qu'en un
siècle moins éclairé que le nôtre...

LE MARQUIS

Ouais ! Vous parlez comme un villageois superstitieux.
L'attachement que vous avez toujours eu pour votre
sœur égare un peu votre jugement. Blanche me paraît le
plus souvent naturelle, et parfois même enjouée.

LE CHEVALIER

Oh ! sans doute, il arrive qu'elle me fasse illusion à moi-
même, et je croirais le sort conjuré si je n'en lisais
toujours la malédiction dans son regard. Oui, ce que la
voix peut cacher, le regard le livre ; c'est dans le regard,
non dans la voix, que se trahit la crainte, voilà une chose
qu'il m'a été donné d'apprendre au service du Roi, bien

que j'y sois encore assez novice... Mais à quoi bon vous dire ce que d'autres guerres plus sérieuses vous avaient appris déjà, bien avant que je fusse né ?

> *Le Marquis esquisse un premier geste de dénégation, puis répond lentement, de l'air d'un homme qui interroge ses souvenirs.*

LE MARQUIS

Mon Dieu, c'est vrai, nous savions ces choses, elles nous étaient utiles à l'occasion, je les trouve cependant assez nouvelles dans votre bouche, car nous n'en raisonnions pas, telle était la différence de notre génération à la vôtre. Comment diable aurais-je eu l'idée de juger votre sœur sur mon expérience des caporaux et des sergents du Royal-Picardie ?... Méfiez-vous qu'à raisonner de tout comme vous faites aujourd'hui, on risque de ne plus comprendre la raison de rien ! Lorsque Blanche et sa gouvernante seront ici, dans un moment, vous rirez de vos angoisses et elle oubliera les siennes.

LE CHEVALIER

Vous voulez dire qu'elle en aura été une fois de plus quitte pour la peur... Quitte pour la peur ! Quand il s'agit de Blanche, le rapprochement de ces deux mots fait frémir... Une fille si noble et si fière ! Le mal est entré en elle comme le ver dans le fruit... Oh ! Monsieur, un tel langage doit vous paraître obscur ou pédant, surtout dans ma bouche... Veuillez n'en retenir que ce qu'il faut pour vous décider à envoyer ma sœur à Miromesnil, ou même à Limeuil, prendre l'air du printemps et boire le lait de nos vaches.

LE MARQUIS

Oui, jouer les fermières, comme il est à la mode aujourd'hui. Par malheur, ce n'est pas ainsi qu'une fille trouve un établissement. Je serais bien fou d'éloigner la mienne alors que je commence à me féliciter justement des assiduités de votre ami. Oh ! le petit Damas ne saurait passer pour ce qu'on appelait jadis un grand parti, mais j'en ferais volontiers mon gendre. Que voulez-vous ? Il m'arrive de trouver les jeunes gens d'aujourd'hui un peu compliqués à mon gré. Celui-là est un vrai Français, c'est même un Français de trois siècles. Il a la chevalerie de l'un, la grâce de l'autre, et la gaîté de celui-ci. Oui, vraiment, c'est ce que j'appelle un joli Français, un joli garçon, un brave garçon, un seigneur de bon goût de la Cour de France, voilà ce que c'est que Roger de Damas. Mille diables ! vous pensez de lui comme moi.

LE CHEVALIER

Il est mon meilleur ami, c'est tout dire... Ne vous faites pas d'illusions pourtant. Dans le fâcheux état où elle se trouve, ma sœur n'épousera jamais un homme qui passe partout pour plus casse-cou qu'un autre, et devant qui elle craindrait d'avoir peut-être à rougir.

LE MARQUIS

Enfantillages !

LE CHEVALIER

N'en croyez rien. J'ignore si la bizarrerie de sa nature pourrait entraîner Blanche à quelque action blâmable, du moins selon l'idée qu'elle se fait des devoirs d'une fille de qualité, mais je sens bien qu'elle n'y survivrait pas.

SCÈNE II

La porte s'ouvre et Blanche paraît sur le seuil assez inopinément pour qu'on puisse se demander si elle a ou non entendu les derniers mots.
Le Chevalier ne peut retenir un geste, mais le vieux Marquis commande mieux à ses nerfs, et dit d'une voix très naturelle :

LE MARQUIS

Blanche, votre frère avait grand-hâte de vous revoir.

Les traits de Blanche sont profondément altérés,
mais elle a eu visiblement le temps de se reprendre, et
s'efforce de parler avec enjouement.

BLANCHE

Monsieur le Chevalier est trop bon pour son petit
lièvre...

LE CHEVALIER

Ne répétez pas à tout propos une plaisanterie qui n'a de
sens que pour nous deux.

BLANCHE

Les lièvres n'ont pas l'habitude de passer la journée hors
de leur gîte. Il est vrai que je transportais le mien avec
moi. Mais une simple glace entre cette foule et ma
craintive personne m'a paru un moment, je vous assure,
une protection bien dérisoire. Je devais avoir l'air très
ridicule.

Le Marquis fait signe à son fils de se taire.

LE MARQUIS

Bast ! Nous parlerons de vos aventures à souper, lorsque
vous aurez pris un peu de repos. Mieux vaut oublier un
moment ce que vous avez vu, et il ne faut pas juger cette
canaille-là au visage... Le peuple de Paris est bon diable,
et tout finit ici par des chansons.

LE CHEVALIER

Monsieur de Damas, qui vous a vue au carrefour Bucy,
vient de me dire qu'à travers vos glaces vous faisiez très
bonne contenance...

Elle rougit de plaisir, et pour cacher son trouble parle
avec une animation grandissante, qui finit par créer
une sorte de malaise. Le Marquis et son fils échan-
gent un regard.

BLANCHE

Oh ! Monsieur de Damas n'a sans doute vu que ce qu'il
voulait voir... Réellement, je faisais bonne contenance ?
Mon Dieu, il en est peut-être du péril comme de l'eau
froide qui d'abord vous coupe le souffle et où l'on se
trouve à l'aise dès qu'on y est entré jusqu'au cou ? Mais
aussi, quelle occasion nous donne-t-on de faire nos
preuves, nous autres, jeunes filles ? Pour valoir quelque
chose, il faut d'abord savoir ce que l'on vaut... Mon
Dieu, mon Dieu, figurez-vous, en descendant tout à
l'heure du carrosse, Mme Janin n'en croyait pas ses yeux,
je me sentais si légère... Ce grand poids, depuis toujours,
sur mon cœur... (*Elle porte la main à la poitrine, regarde
autour d'elle, s'arrête.*) Mais que vais-je dire là ? Je ne
suis qu'une sotte, pardonnez-moi... (*Avant que son frère
ait pu ouvrir la bouche, elle a repris d'une voix dont la
gaîté n'est plus que factice :*) Cette cérémonie chez les
Dames de la Visitation a été très longue et m'a beaucoup
fatiguée. Voilà sans doute pourquoi je déraisonne. Avec
votre permission, mon père, je vais suivre votre conseil
et prendre un peu de repos avant souper. Tiens ! Comme
le jour tombe vite ce soir...

LE MARQUIS

Je dirais volontiers qu'un orage menace, si nous n'étions
si tôt dans la saison. Le ciel s'est couvert brusquement,
tandis que vous parliez.

> *Elle se dirige vers l'escalier, son frère l'accompagne.*

LE CHEVALIER

Puisque vous vous retirez dans votre appartement,
demandez tout de suite des flambeaux, et n'y restez pas
sans compagnie. Je sais que le crépuscule vous rend
toujours mélancolique. Vous me disiez quand vous étiez
petite : « Je meurs chaque nuit pour ressusciter chaque
matin. »

BLANCHE

C'est qu'il n'y a jamais eu qu'un seul matin, Monsieur le
Chevalier : celui de Pâques. Mais chaque nuit où l'on
entre est celle de la Très Sainte Agonie...

Elle sort.

SCÈNE III

LE MARQUIS

Son imagination va toujours d'un extrême à l'autre. Que
diable signifie ce dernier trait ?

LE CHEVALIER

Je n'en sais rien, qu'importe ! C'est son regard et sa voix
qui vont à l'âme. Les chevaux sont maintenant dételés.
Je m'en vais interroger le vieil Antoine.

*Il sort. La porte repoussée, on entend un cri de
terreur. Le Marquis hésite un moment sur la direction à prendre, puis s'avance vers l'escalier. On
entend un pas sur les marches. Le Marquis semble
reconnaître quelqu'un dans l'ombre et crie :*

LE MARQUIS

C'est toi, Thierry ?

*Les pas se font plus proches, et un jeune laquais
paraît, très pâle.*

Que se passe-t-il, mon garçon ?

LE LAQUAIS

J'allumais les flambeaux, lorsque Mademoiselle Blanche
est entrée dans la chambre... Je pense qu'elle a d'abord
vu mon ombre sur le mur. J'avais tiré les rideaux.

SCÈNE IV

*Chambre de Blanche. A l'entrée de son père,
Blanche va au-devant de lui. Sa voix, son attitude, les
traits de son visage marquent une espèce de résolution et de résignation désespérée.*

LE MARQUIS

En montant chez vous au lieu de faire appeler votre
gouvernante, j'ai cédé au premier mouvement, pardon-
nez ma maladresse. Je vois qu'il n'y a heureusement rien
de grave.

BLANCHE

Oh! Monsieur, vous êtes le plus indulgent et le plus
courtois des pères...

LE MARQUIS

Monsieur Rousseau, qui ne l'était pas si fort des siens,
veut que nous soyons les amis de nos enfants. Au bout du
compte, je crains que l'amitié ne fasse regretter un jour
l'indulgence et la courtoisie car, en somme, c'est plutôt
nous qu'elle avantage. Il est moins difficile d'être ami
que d'être père... Mais ne parlons plus de ce petit
incident.

BLANCHE

Mon père, il n'est pas d'incident si négligeable où ne
s'inscrit la volonté de Dieu comme toute l'immensité du
Ciel dans une goutte d'eau. Oui, c'est Dieu qui vous
amène ici pour entendre ce que le cœur m'a manqué tant
de fois pour vous dire. Avec votre permission, j'ai décidé
d'entrer au Carmel.

LE MARQUIS

Au Carmel!

BLANCHE

Je pense qu'un tel aveu vous surprend moins que vous ne voulez le laisser paraître.

LE MARQUIS

Hélas! On peut toujours craindre pour une jeune personne aussi vertueuse que ma fille les conseils d'une dévotion exaltée. Il est vrai, certaines circonstances malheureuses de votre naissance m'ont attaché à vous très tendrement, et je ne voudrais en rien vous contraindre. Nous parlerons donc de ceci plus à loisir, mais retenez dès maintenant que vous présumez sans aucun doute non pas de votre courage, mais de vos forces et de votre santé...

BLANCHE

Mon courage...

LE MARQUIS

Une fille moins fière ne se tourmenterait pas pour un cri.

BLANCHE

Mon courage...

> *Elle se décide brusquement, comme si en s'efforçant de convaincre son père, elle cédait peu à peu à l'espoir de se persuader elle-même.*

Mon Dieu, oui, je crois vraiment qu'il y a en moi plus d'une chose dont vous n'auriez pas à rougir. En me faisant comme je suis, pourquoi Dieu n'aurait-il voulu que m'avilir? La fragilité de ma nature n'est pas une simple humiliation qu'il m'impose, mais le signe de sa volonté sur sa pauvre servante. Loin d'en ressentir de la honte, je devrais plutôt être tentée de tirer gloire d'une telle prédestination. Oh! sans doute, je sais qu'il est peu convenable, même en votre présence, de prendre avantage du sang dont je sors, et de l'illustration de notre maison. N'importe! Par quel miracle serais-je née tout à fait indigne de tant d'hommes de bien, justement réputés pour leur valeur? Il y a plusieurs sortes de courage, voilà ce que je pense maintenant. C'en est une assurément d'affronter les mousquets. C'en est une autre de sacrifier les avantages d'une position enviable pour aller vivre parmi des compagnes et sous l'autorité de supérieurs d'une naissance et d'une éducation souvent bien inférieures à la vôtre.

Elle s'arrête, un peu gênée. Le vieux Marquis l'écoute en silence, tête basse. Puis il dit avec effort, mais du ton d'un homme qui en parlant accomplit un devoir :

LE MARQUIS

Ma fille, il y a dans votre résolution plus d'orgueil que vous ne pensez. Je ne passe certes pas pour dévot, mais j'ai toujours cru que les gens de notre état devaient en agir honnêtement avec Dieu. On ne quitte pas le monde par dépit, comme un novice qui se fait tuer à sa première affaire un peu chaude, par crainte de manquer de cœur, privant inutilement ainsi de ses services son Roi et son Pays.

On la voit chanceler sous le coup, mais elle ne se rend pas.

BLANCHE

Je ne méprise pas le monde, il est à peine vrai de dire que je le crains, le monde est seulement pour moi comme un élément où je ne saurais vivre. Oui, mon père, c'est physiquement que je n'en puis supporter le bruit, l'agitation ; les meilleures compagnies m'y rebutent, il n'est pas jusqu'au mouvement de la rue qui ne m'étourdisse, et lorsque je m'éveille la nuit, j'épie malgré moi, à travers l'épaisseur de nos rideaux et de nos courtines, la rumeur de cette grande ville infatigable, qui ne s'assoupit qu'au petit jour. Qu'on épargne cette épreuve à mes nerfs, et on verra ce dont je suis capable. Quoi ! reprocherez-vous à un jeune officier de renoncer à servir sur les bâtiments du Roi s'il ne supporte pas la mer ?

LE MARQUIS

Mon enfant chérie, il n'appartient qu'à votre conscience
de décider si l'épreuve est au-dessus de vos forces ou
non...

BLANCHE

Oh ! mon père, cessons ce jeu, par pitié. Oh ! par pitié,
laissez-moi croire qu'il est un remède à cette horrible
faiblesse qui fait le malheur de ma vie ! Hélas ! il faut que
Monsieur de Damas soit bien aveugle en ce qui me
concerne pour m'avoir trouvé tout à l'heure bonne
contenance. Dieu ! Je me soutenais à peine sur les
coussins, j'étais glacée jusqu'au cœur, je le suis encore,
touchez mes pauvres mains... Oh ! mon père, mon père !
Si je n'espérais pas que le Ciel a quelque dessein sur moi,
je mourrais ici de honte à vos pieds. Il est possible que
vous ayez raison, que l'épreuve n'ait pas été poussée
jusqu'au bout. Mais Dieu ne m'en voudra pas. Je lui
sacrifie tout, j'abandonne tout, je renonce à tout pour
qu'il me rende l'honneur.

Deuxième tableau

SCÈNE I

Quelques semaines après.
Le parloir, au Carmel de Compiègne. La Prieure et Blanche se parlent de part et d'autre de la double grille qu'obstrue un voile noir. Mme de Croissy, la Prieure, est une vieille femme, visiblement malade. Elle essaie maladroitement de rapprocher son fauteuil de la grille. Elle y parvient avec peine, et dit, un peu essoufflée, en souriant :

LA PRIEURE

N'allez pas croire que ce fauteuil soit un privilège de ma charge, comme le tabouret des duchesses ! Hélas ! par charité pour mes chères filles qui en prennent si grand soin, je voudrais m'y sentir à mon aise. Mais il n'est pas facile de retrouver d'anciennes habitudes depuis trop longtemps perdues, et je vois bien que ce qui devrait être un agrément ne sera jamais plus pour moi qu'une humiliante nécessité.

BLANCHE

Il doit être doux, ma Mère, de se sentir si avancée dans la voie du détachement qu'on ne saurait plus retourner en arrière.

LA PRIEURE

Ma pauvre enfant, l'habitude finit par détacher de tout. Mais à quoi bon, pour une religieuse, être détachée de tout, si elle n'est pas détachée de soi-même, c'est-à-dire de son propre détachement ?

Un silence.

Je vois que les sévérités de notre Règle ne vous effraient pas ?

BLANCHE

Elles m'attirent.

LA PRIEURE

Oui, oui, vous êtes une âme généreuse.

Silence.

Retenez pourtant que les obligations les plus légères en apparence sont bien souvent, dans la pratique, les plus pénibles. On franchit une montagne et on bute sur un caillou.

BLANCHE *(vivement)*

Oh ! ma Mère, il y a autre chose à craindre que ces petits sacrifices...

Elle s'arrête, interdite.

LA PRIEURE

Oui-da ? Et quels sont ces beaux sujets de crainte ?

BLANCHE

(d'une voix de moins en moins assurée)

Ma Révérende Mère, je ne saurais... il me serait difficile... ainsi... sur-le-champ... Mais, avec votre permission, je réfléchirai là-dessus et je vous répondrai plus tard...

LA PRIEURE

A votre aise... Me répondrez-vous dès maintenant si je vous demande quelle idée vous vous faites de la première obligation d'une Carmélite ?

BLANCHE

C'est de vaincre la nature.

LA PRIEURE

Fort bien. Vaincre et non pas forcer, la distinction est de conséquence. A vouloir forcer la nature, on ne réussit qu'à manquer de naturel, et ce que Dieu demande à ses filles, ce n'est pas de donner chaque jour la comédie à Sa Majesté, mais de le servir. Une bonne servante est toujours où elle doit être et ne se fait jamais remarquer.

BLANCHE

Je ne demande qu'à passer inaperçue...

LA PRIEURE

(souriante, avec une pointe d'ironie)

Hélas, cela ne s'obtient qu'à la longue, et de le désirer trop vivement ne facilite pas la chose... Vous êtes d'une grande naissance, ma fille, et nous ne vous demandons pas de l'oublier. Pour en avoir renoncé les avantages, vous ne sauriez échapper à toutes les obligations qu'une telle naissance impose, et elles vous paraîtront, ici, plus lourdes qu'ailleurs.

Geste de Blanche.

Oh! oui, vous brûlez de prendre la dernière place. Méfiez-vous encore de cela, mon enfant... A vouloir trop descendre, on risque de passer la mesure. Or, en humilité comme en tout, la démesure engendre l'orgueil, et cet orgueil-là est mille fois plus subtil et plus dangereux que celui du monde, qui n'est le plus souvent qu'une vaine gloriole...

Un silence.

Qui vous pousse au Carmel?

BLANCHE

Votre Révérence m'ordonne-t-elle de parler tout à fait franchement?

LA PRIEURE

Oui.

BLANCHE

Hé bien, l'attrait d'une vie héroïque.

LA PRIEURE

L'attrait d'une vie héroïque, ou celui d'une certaine
manière de vivre qui vous paraît — bien à tort — devoir
rendre l'héroïsme plus facile, le mettre pour ainsi dire à
la portée de la main ?...

BLANCHE

Ma Révérende Mère, pardonnez-moi, je n'ai jamais fait
de tels calculs.

LA PRIEURE

Les plus dangereux de nos calculs sont ceux que nous
appelons des illusions...

BLANCHE

Je puis avoir des illusions. Je ne demanderais pas mieux
qu'on m'en dépouille.

LA PRIEURE

Qu'on vous en dépouille... (*Elle appuie sur les trois
mots.*) Il faudra vous charger seule de ce soin, ma fille.
Chacune ici a déjà trop à faire de ses propres illusions.
N'allez pas vous imaginer que le premier devoir de notre
état soit de nous venir en aide les unes aux autres, afin de
nous rendre plus agréables au divin Maître, comme ces
jeunes personnes qui échangent leur poudre et leur
rouge avant de paraître pour le bal. Notre affaire est de
prier, comme l'affaire d'une lampe est d'éclairer. Il ne
viendrait à l'esprit de personne d'allumer une lampe
pour en éclairer une autre. « Chacun pour soi », telle est
la loi du monde, et la nôtre lui ressemble un peu :
« Chacun pour Dieu ! » Pauvre petite ! Vous avez rêvé
de cette maison comme un enfant craintif, que viennent
de mettre au lit les servantes, rêve dans sa chambre
obscure à la salle commune, à sa lumière, à sa chaleur.
Vous ne savez rien de la solitude où une véritable
religieuse est exposée à vivre et à mourir. Car on compte

un certain nombre de vraies religieuses, mais bien davantage de médiocres et d'insipides. Allez, allez! ici comme ailleurs le mal reste le mal, et pour être faite d'innocents laitages, une crème corrompue ne doit pas moins soulever le cœur qu'une viande avancée... Oh! mon enfant, il n'est pas selon l'esprit du Carmel de s'attendrir, mais je suis vieille et malade, me voilà très près de ma fin, je puis bien m'attendrir sur vous... De grandes épreuves vous attendent, ma fille...

BLANCHE

Qu'importe, si Dieu me donne la force.

Silence.

LA PRIEURE

Ce qu'il veut éprouver en vous, n'est pas votre force, mais votre faiblesse...

Silence.

... Les scandales que donne le monde ont ceci de bon qu'ils révoltent les âmes comme la vôtre. Ceux que vous trouverez ici vous décevront. A tout prendre, ma fille, l'état d'une religieuse médiocre me paraît plus déplorable que celui d'un brigand. Le brigand peut se convertir, et ce sera pour lui comme une seconde naissance. La religieuse médiocre, elle, n'a plus à naître, elle est née, elle a manqué sa naissance, et sauf un miracle, elle restera toujours un avorton.

BLANCHE

Oh! ma Mère, je ne voudrais voir ici que le bien...

LA PRIEURE

Qui s'aveugle volontairement sur le prochain, sous prétexte de charité, ne fait souvent rien autre chose que de briser le miroir afin de ne pas se voir dedans. Car l'infirmité de notre nature veut que ce soit d'abord en autrui que nous découvrions nos propres misères. Prenez garde de vous laisser gagner par je ne sais quelle bienveillance niaise qui amollit le cœur et fausse l'esprit.

Silence.

Ma fille, les bonnes gens se demandent à quoi nous servons, et après tout ils sont bien excusables de se le demander. Nous croyons leur apporter, grâce à nos austérités, la preuve qu'on peut parfaitement se passer de bien des choses qu'ils jugent indispensables. Mais pour que l'exemple fût efficace, il faudrait encore, après tout, qu'ils fussent sûrs que ces choses nous étaient aussi indispensables qu'à eux-mêmes... Non, ma fille, nous ne sommes pas une entreprise de mortification ou des conservatoires de vertus, nous sommes des maisons de prière, la prière seule justifie notre existence, qui ne croit pas à la prière ne peut nous tenir que pour des imposteurs ou des parasites. Si nous le disions plus franchement aux impies, nous nous ferions mieux comprendre. Ne sont-ils pas forcés de reconnaître que la croyance en Dieu est un fait universel ? N'est-ce pas une contradiction bien étrange que les hommes puissent tous ensemble croire en Dieu, et le prier si peu et si mal ? Ils ne lui font guère que l'honneur de le craindre. Si la croyance en Dieu est universelle, ne faut-il pas qu'il en soit autant de la prière ? Hé bien, ma fille, Dieu a voulu qu'il en soit ainsi, non pas en faisant d'elle, aux dépens de notre liberté, un besoin aussi impérieux que la faim ou la soif, mais en permettant que nous puissions prier les uns à la place des autres. Ainsi chaque prière, fût-ce celle d'un petit pâtre qui garde ses bêtes, c'est la prière du genre humain.

Court silence.

Ce que le petit pâtre fait de temps en temps, et par un mouvement de son cœur, nous devons le faire jour et nuit. Non point que nous espérions prier mieux que lui, au contraire. Cette simplicité de l'âme, ce tendre abandon à la Majesté divine qui est chez lui une inspiration du moment, une grâce, et comme l'illumination du génie, nous consacrons notre vie à l'acquérir, ou à le retrouver si nous l'avons connu, car c'est un don de l'enfance qui le plus souvent ne survit pas à l'enfance... Une fois sorti de l'enfance, il faut très longtemps souffrir pour y rentrer, comme tout au bout de la nuit, on retrouve une autre aurore. Suis-je redevenue enfant ?...

Blanche pleure.

Vous pleurez ?

BLANCHE

Je pleure moins de peine que de joie. Vos paroles sont dures, mais je sens que de plus dures encore ne sauraient briser l'élan qui me porte vers vous.

LA PRIEURE

Il faudrait le modérer sans le briser. Croyez-moi, c'est une mauvaise manière d'entrer dans notre Règle que de s'y jeter à corps perdu, ainsi qu'un pauvre homme poursuivi par des voleurs.

BLANCHE

Je n'ai pas d'autre refuge, en effet.

LA PRIEURE

Notre Règle n'est pas un refuge. Ce n'est pas la Règle qui nous garde, ma fille, c'est nous qui gardons la Règle.

Long silence.

Dites-moi encore : avez-vous, par extraordinaire, déjà choisi votre nom de Carmélite, au cas où nous vous admettrions à la probation ? Mais, sans doute, n'y avez-vous jamais pensé ?

BLANCHE

Si fait, ma Mère. Je voudrais m'appeler Sœur Blanche de l'Agonie du Christ.

La Prieure sursaute imperceptiblement. Elle paraît hésiter un moment, ses lèvres remuent, puis son visage exprime tout à coup la fermeté tranquille d'une personne qui a pris sa décision.

LA PRIEURE

Allez en paix, ma fille.

SCÈNE II

Devant la porte de clôture, à l'intérieur du Carmel,
quelque temps après. Blanche attend en silence, avec
l'aumônier. On va la recevoir comme postulante. La
porte s'ouvre, laissant voir toute la Communauté
réunie, chaque religieuse couverte du voile noir qui
tombe du sommet de la tête jusqu'à mi-corps, et
qu'elles relèvent dès que la porte se referme. La
Prieure et Mère Marie de l'Incarnation, sous-
Prieure, prennent la postulante par la main et, suivies
de la Communauté qui chante un cantique, la condui-
sent au pied d'une statuette représentant le Petit Roi
de Gloire : l'enfant Jésus avec le manteau royal, le
sceptre et la couronne.

SCÈNE III

Le couloir central du Carmel, au premier étage. Les
cellules donnent toutes sur ce couloir faiblement
éclairé. Cloche du couvre-feu. La Prieure pousse la
porte entrouverte de la cellule de Blanche.

LA PRIEURE

La règle est de fermer sa porte, mon enfant...

BLANCHE

Je... Je... J'aurais cru... *(Avec un rien de faux enjoue-*
ment dans la voix :) C'est que je n'y voyais pas du tout,
ma Mère.

LA PRIEURE

Qu'avez-vous besoin d'y voir pour dormir ?

BLANCHE

Je... Je... Je n'ai pas envie de dormir.

LA PRIEURE

Les nuits au Carmel sont courtes, et une bonne religieuse, ainsi qu'un bon soldat, doit pouvoir dormir à volonté. Lorsqu'on est jeune et bien portante comme vous, l'habitude s'acquiert avec le temps.

BLANCHE

Je vous demande pardon, ma Mère...

LA PRIEURE

Oublions cet enfantillage...

> *La Prieure s'en va en refermant la porte. Blanche tâtonne un moment puis finit par entrouvrir la porte. La Prieure revient, s'en aperçoit, hésite, puis passe son chemin sans refermer.*

SCÈNE IV

> *A l'infirmerie. Marie de l'Incarnation et le médecin au chevet de la Prieure.*

LE MÉDECIN

J'ai grand-peur que nous ne puissions plus rien... Vous avez trop exigé de vous, ma Mère, et je ne suis pas le bon Dieu...

> *Regard de la Prieure, qui détourne aussitôt les yeux et dit d'un ton de reproche, et avec une vivacité un peu puérile, où transparaît une crainte qu'elle ne peut tout à fait celer :*

LA PRIEURE

Vraiment ? Êtes-vous sûr ? J'aurais cru pourtant... Hier j'ai pris mon potage, non seulement sans répugnance, mais presque avec plaisir, n'est-ce pas, Mère Marie de l'Incarnation ?

MÈRE MARIE

Votre Révérence dit vrai...

LA PRIEURE

A parler franc, je me sens même beaucoup mieux qu'à ma dernière crise. Les premières chaleurs m'ont toujours fait grand mal, c'est une bizarrerie de mon tempérament que connaissait bien votre prédécesseur, le pauvre feu M. Lannelongue. Il faut que cet orage crève, et vous me verrez déjà bien soulagée...

Le médecin échange un regard avec Mère Marie de l'Incarnation.

LE MÉDECIN

Je voulais dire seulement qu'il serait bon d'interrompre les médecines et de laisser faire la nature, sans remuer davantage les humeurs... *Quieta non movere.*

MÈRE MARIE

Dieu veuille vous garder à nous, ma Mère !...

La Prieure tient les yeux fixés vers le sol. L'expression de son visage est dure, elle dit enfin, comme à elle-même :

LA PRIEURE

Je m'en remets à Lui pour guérir ou mourir, selon Sa Volonté.

Le médecin sort avec Marie de l'Incarnation.

SCÈNE V

Couloir, devant l'infirmerie.

LE MÉDECIN

Je regrette d'avoir pensé tout haut devant la Révérende Prieure...

MÈRE MARIE

Ne regrettez rien. Si vous aviez une plus vieille expérience de maisons comme celle-ci, vous sauriez qu'il n'y a que deux sortes de religieuses pour mourir tout à fait paisiblement : les très saintes et les médiocres.

LE MÉDECIN

J'aurais cru pourtant que la Foi...

MÈRE MARIE

Ce n'est pas la Foi qui rassure, mais l'Amour. Et lorsque l'Époux lui-même s'approche de nous pour nous sacrifier, comme Abraham son fils Isaac, il faut être bien parfaite ou bien sotte pour ne pas sentir de trouble.

LE MÉDECIN

Pardonnez-moi... Je pensais que dans une Maison de Paix...

MÈRE MARIE

Notre Maison n'est pas une Maison de Paix, Monsieur. C'est une Maison de prière. Les personnes consacrées à Dieu ne se réunissent pas entre elles pour jouir de la paix, elles tâchent de la mériter pour les autres... On n'a pas le temps de jouir de ce qu'on donne...

SCÈNE VI

Le tour, à l'intérieur du couvent, près de la clôture. Blanche et une très jeune sœur, Constance de Saint-Denis, prennent les provisions et les objets usuels que la sœur tourière leur passe.

CONSTANCE

Encore ces maudites fèves !

BLANCHE

On dit que les accapareurs retiennent la farine, et que Paris va manquer de pain...

CONSTANCE

Tiens ! voilà notre gros fer à repasser que nous réclamons depuis si longtemps ! Regardez comme la poignée en est bien regarnie... Nous n'entendrons plus Sœur Jeanne de la Divine Enfance crier en soufflant sur ses doigts : « C'est-y possible de repasser avec un fer pareil ! » C'est-y ! C'est-y ! Je me mords chaque fois la langue pour ne pas rire, mais je suis si contente ! Ce « C'est-y » me rappelle la campagne, et nos bons villageois de Tilly... Oh ! Sœur Blanche, six semaines avant mon entrée en religion, on a fêté là-bas le mariage de mon frère, tous les paysans étaient rassemblés, vingt filles lui ont présenté un bouquet au son des tambours et des violons, et au bruit d'une décharge générale de mousqueterie. Il y eut grand-messe, dîner au château, et danse toute la journée. J'ai dansé cinq contredanses de tout mon cœur, je vous assure. Ces pauvres gens m'aimaient tous à la folie, parce que j'étais gaie et que je sautais aussi bien qu'eux...

BLANCHE

Vous n'avez pas honte de parler ainsi lorsque notre Révérende Mère...

CONSTANCE

Oh ! ma Sœur, pour sauver la vie de notre Mère, je donnerais volontiers ma pauvre petite vie de rien du tout, oui, ma foi oui, je la donnerais... Mais quoi, à cinquante-neuf ans n'est-il pas grand temps de mourir ?

BLANCHE

Vous n'avez jamais craint la mort ?

CONSTANCE

Je ne crois pas... Si, peut-être... il y a très longtemps, lorsque je ne savais pas ce que c'était.

BLANCHE

Et après...

CONSTANCE

Mon Dieu, Sœur Blanche, la vie m'a tout de suite paru si amusante ! Je me disais que la mort devait l'être aussi...

BLANCHE

Et maintenant ?

CONSTANCE

Oh ! maintenant, je ne sais plus ce que je pense de la mort, mais la vie me paraît toujours aussi amusante. J'essaie de faire le mieux possible ce qu'on me commande, mais ce qu'on me commande m'amuse... Après tout, dois-je être blâmée parce que le service du bon Dieu m'amuse ?... On peut faire très sérieusement ce qui vous amuse, les enfants nous le prouvent tous les jours... Exactement comme on peut faire avec bonne humeur ce qui vous ennuie...

BLANCHE *(voix dure)*

Ne craignez-vous point que Dieu se lasse de tant de bonne humeur, et ne vienne un jour vous dire, comme à sainte Angèle de Foligno : « Ce n'est pas pour rire, moi, que je t'ai aimée ? »

Sœur Constance la regarde interdite, son visage enfantin crispé par une grimace douloureuse. Elle dit enfin :

CONSTANCE

Pardonnez-moi, Sœur Blanche. Je ne peux m'empêcher de croire que vous venez, exprès, de me faire du mal.

Silence.

BLANCHE

Hé bien, vous ne vous trompez pas... C'est que je vous enviais...

CONSTANCE

Vous m'enviez ! Ah ! par exemple, voilà bien la chose la
plus extraordinaire que j'aie jamais entendue ! Vous
m'enviez, alors que je mériterais d'être fouettée pour
avoir parlé si légèrement de la mort de notre Révérende
Mère... La mort d'une Mère Prieure est une chose très
sérieuse... Je n'ai pas l'habitude de voir mourir des gens
sérieux. Mon oncle, le duc de Lorge, est mort à quatre-
vingts ans. Ce n'était tout de même pas une mort
sérieuse, c'était une belle cérémonie, voilà tout. Mes
deux frères aînés sont morts à la guerre, mon cousin
germain de Loynes en daguant un cerf, dans notre forêt
de Dampierre, et cet autre cousin Jaucourt, qu'on
appelait Clair-de-Lune, s'est noyé dans le Mississippi,
lors de l'insurrection américaine... Tous ces gens-là sont
morts en jouant, pour ainsi dire. Il en a toujours été plus
ou moins ainsi des gens de qualité. Ce n'est pas de nos
titres et de nos parchemins mangés par les rats que nous
tenons la position que nous avons dans le monde, mais
d'hommes pour qui la mort n'était qu'un jeu comme un
autre... Oh ! Sœur Blanche, puisque j'ai si étourdiment
parlé tout à l'heure, ayez la bonté de m'aider à réparer
ma faute. Mettons-nous à genoux et offrons nos deux
pauvres petites vies pour celle de Sa Révérence.

BLANCHE

C'est un enfantillage...

CONSTANCE

Oh ! pas du tout, Sœur Blanche, je crois vraiment que
c'est une inspiration de l'âme.

BLANCHE

Vous vous moquez de moi...

CONSTANCE

L'idée m'est venue tout à coup, je ne pense pas qu'il y ait
là aucun mal. J'ai toujours souhaité mourir jeune, c'est
un trop grand malheur de devoir donner au bon Dieu
une vie à laquelle on ne tient plus, ou à laquelle on ne

tient plus que par habitude, une habitude devenue féroce.

BLANCHE

Qu'ai-je à faire dans cette comédie ?

CONSTANCE

Hé bien... Hé bien, la première fois que je vous ai vue, j'ai compris que j'étais exaucée.

BLANCHE *(violemment)*

Exaucée de quoi ?

CONSTANCE

De... Mais c'est que vous m'embarrassez maintenant, Sœur Blanche... vous me regardez d'une manière si étrange...

Blanche s'avance vers elle.

BLANCHE

Posez ce fer ridicule, et répondez-moi, je vous prie.

Constance pose docilement le fer sur la table, son joli visage se contracte douloureusement, mais n'en garde pas moins une espèce de sérénité enfantine.

CONSTANCE

Hé bien... J'ai compris que Dieu me ferait la grâce de ne pas me laisser vieillir, et que nous mourrions ensemble, le même jour — où et comment, par exemple, ça je l'ignorais, et dans ce moment je l'ignore toujours... C'est ce qu'on appelle un pressentiment, rien davantage... Il faut que je vous voie maintenant si fâchée contre moi pour attacher de l'importance à... à...

BLANCHE

A une idée folle et stupide ! N'avez-vous pas honte de croire que votre vie puisse racheter la vie de qui que ce soit ?... Vous êtes orgueilleuse comme un démon... Vous... Vous... Je vous défends...

*Elle s'arrête. L'expression d'étonnement douloureux
du visage de Constance s'efface peu à peu comme si
elle commençait à comprendre, sans savoir d'ailleurs
très bien quoi... Elle soutient le regard égaré de
Blanche qui finit par se détourner du sien, et elle dit,
d'une voix douce et triste, avec une espèce de dignité
poignante :*

CONSTANCE

J'étais bien loin de vouloir vous offenser...

SCÈNE VII

*Cellule de l'infirmerie. Marie de l'Incarnation au
chevet de la Prieure.*

MÈRE MARIE

Depuis des jours, elle remplace notre sacristine. Elle
sera ici dans un moment.

*La Prieure est dans son lit. Pendant toute la scène,
ses manières, son attitude contrasteront avec l'expression angoissée et presque égarée de son visage.*

LA PRIEURE

Ayez la bonté de relever ce coussin... Ne pensez-vous
pas que Monsieur Javelinot permettra qu'on m'installe
dans le fauteuil ? C'est une grande peine pour moi de me
montrer à mes filles ainsi étendue comme une noyée
qu'on vient de tirer de l'eau, alors que j'ai si bien gardé
toute ma tête... Oh ! ce n'est pas que je veuille tromper
personne ! Mais quand fait si misérablement défaut le
courage, il faudrait être au moins capable de composer
son maintien, pour ne pas manquer aux égards que nous
devons à ceux qui veulent bien nous faire la charité de
nous juger sur la mine.

MÈRE MARIE

J'avais cru comprendre, ma Mère, que vos angoisses s'étaient bien apaisées cette nuit...

LA PRIEURE

Ce n'était qu'un assoupissement de l'âme. Dieu en soit pourtant remercié ! Je ne me voyais plus mourir. « Se voir mourir » passe pour n'être qu'un dicton de bonnes gens... Hé bien, ma Mère, il est vrai que je me vois mourir. Rien ne me distrait de cette vue. Certes, je me sens touchée de vos soins, j'y voudrais répondre, mais ils ne m'apportent aucune aide, vous n'êtes pour moi que des ombres, à peine distinctes des images et des souvenirs du passé. Je suis seule, ma Mère, absolument seule, sans aucune consolation. Mon esprit reste parfaitement capable de former des idées rassurantes, mais ce sont aussi des fantômes d'idées. Elles ne sont pas plus susceptibles de me réconforter que ne pourrait rassasier l'ombre d'un gigot sur le mur.

Silence.

Parlez-moi franchement ! N'étaient ces malheureuses jambes insensibles et inertes, je me croirais à peine en danger... Combien de jours Monsieur Javelinot me donne-t-il encore à vivre ?

Mère Marie de l'Incarnation s'agenouille au chevet du lit, et pose doucement son crucifix sur les lèvres de la Prieure.

MÈRE MARIE

Votre tempérament est des plus forts qu'il ait vus. Il craint pour vous un passage lent et difficile. Mais Dieu...

LA PRIEURE

Dieu s'est fait lui-même une ombre... Hélas ! J'ai plus de trente ans de profession, douze ans de supériorat. J'ai médité sur la mort chaque heure de ma vie, et cela ne me sert maintenant de rien !...

Un long silence.

Je trouve que Blanche de la Force tarde beaucoup?

Silence.

Après la réunion d'hier, s'en tient-elle décidément au nom qu'elle a choisi?

MÈRE MARIE

Oui. Sauf votre bon plaisir, elle souhaite toujours s'appeler Sœur Blanche de l'Agonie du Christ. Vous m'avez toujours paru fort émue de ce choix?

LA PRIEURE

C'est qu'il fut d'abord le mien, jadis. Notre Prieure était en ce temps-là Madame Arnoult, elle avait quatre-vingts ans. Elle m'a dit : « Interrogez vos forces. Qui entre à Gethsémani n'en sort plus. Vous sentez-vous le courage de rester jusqu'au bout prisonnière de la Très Sainte Agonie ?... »

Long silence.

C'est moi qui ai introduit dans cette maison Sœur Blanche de l'Agonie du Christ. Cette affaire me regarde. Mon devoir est d'y mettre ordre, avant de laisser ma charge à d'autres.

Silence.

De toutes mes filles, aucune ne m'inquiète davantage. J'avais pensé la recommander à votre charité. Mais réflexion faite, et si Dieu le veut, ce sera le dernier acte de mon supériorat.

Silence assez court.

Mère Marie...

MÈRE MARIE

Ma Révérende Mère?

LA PRIEURE

C'est au nom de l'obéissance que je vous remets Blanche de la Force. Vous me répondrez d'elle devant Dieu.

MÈRE MARIE

Oui, ma Mère.

LA PRIEURE

Il vous faudra une grande fermeté de jugement et de caractère, mais c'est précisément ce qui lui manque, et que vous avez de surcroît.

Silence.

Prenez garde qu'il ne vous soit aussi nécessaire, pour remplir votre tâche, de surmonter certains mouvements de la nature (*geste de Mère Marie*). Oh! je sais ce que je dis! Sur une personne telle que Blanche de la Force, et qui est un peu notre parente, l'opinion ne saurait manquer d'être influencée par certaines habitudes de penser selon le siècle, que la vie religieuse a bien pu discipliner, mais non pas tout à fait réduire...

MÈRE MARIE

(*hésitation, puis franchement*)

Il n'est que trop vrai. Vous voyez clair en moi, comme toujours. Alors que notre malheureuse noblesse est partout calomniée, ainsi que la Majesté Royale elle-même, j'ai honte de penser qu'une fille de grande naissance puisse, le cas échéant, manquer de cœur.

LA PRIEURE

Oui. Quand l'orage fondra sur cette maison, il appartiendra sans doute à d'autres d'édifier la Communauté par des vertus plus précieuses que les nôtres, mais c'est pourtant de nous qu'elle est en droit d'attendre au moins l'exemple d'une certaine fermeté. N'importe! Dès notre première rencontre, en m'avouant le nom qu'elle avait choisi, Blanche de la Force s'est placée pour moi sous le signe de la Très Sainte Agonie. Qu'elle y reste aussi pour vous! Ah! ma Mère, dans l'humiliation où je me trouve, il m'est plus facile de comprendre qu'il en est de la règle de l'honneur mondain à l'égard des pauvres filles du Carmel comme de l'ancienne loi pour le Seigneur Jésus-Christ et ses apôtres. Nous ne sommes pas ici pour l'abolir, mais au contraire pour l'accomplir en la dépassant.

On frappe à la porte.

La voici, priez-la d'entrer.

SCÈNE VIII

Mère Marie de l'Incarnation va jusqu'à la porte, s'efface pour laisser entrer Blanche, puis sort. Blanche vient s'agenouiller près du lit.

LA PRIEURE

Relevez-vous, ma fille. J'avais fait le projet de vous entretenir plus longuement, mais la conversation que je viens d'avoir m'a beaucoup fatiguée. Ne me regardez pas ainsi, il n'y a rien là devant vous que de très ordinaire. Au Carmel, mon enfant, la vie et la mort d'une religieuse ne devraient jamais se marquer que par un léger changement à l'horaire des travaux et des offices du jour...

BLANCHE

Oh ! ma Mère, ne m'abandonnez pas !

Silence.

LA PRIEURE

Vous êtes la dernière venue, et pour ce fait la plus chère à mon cœur. Oui, de toutes mes filles, la plus chère, comme l'enfant de la vieillesse, et aussi la plus hasardée, la plus menacée. Pour détourner cette menace, j'aurais bien donné ma pauvre vie, oh ! certes, je l'eusse donnée...

Blanche se jette de nouveau à genoux et sanglote. La Prieure pose la main sur sa tête.

Je ne puis donner maintenant que ma mort, une très pauvre mort...

Silence.

Dieu se glorifie dans ses saints, ses héros et ses martyrs. Il se glorifie aussi dans ses pauvres.

BLANCHE

Je n'ai pas peur de la pauvreté.

LA PRIEURE

Oh! il y a bien des sortes de pauvreté, jusqu'à la plus misérable, et c'est de celle-là que vous serez rassasiée...

Silence.

Mon enfant, quoi qu'il advienne ne sortez pas de la simplicité. A lire nos bons livres, on pourrait croire que Dieu éprouve les saints comme un forgeron une barre de fer pour en mesurer la force. Il arrive pourtant aussi qu'un tanneur éprouve entre ses paumes une peau de daim pour en apprécier la souplesse. Oh! ma fille, soyez toujours cette chose douce et maniable dans ses mains! Les saints ne se raidissaient pas contre les tentations, ils ne se révoltaient pas contre eux-mêmes, la révolte est toujours une chose du diable, et surtout ne vous méprisez jamais! Il est très difficile de se mépriser sans offenser Dieu en nous. Sur ce point-là aussi nous devons bien nous garder de prendre à la lettre certains propos des saints, le mépris de vous-même vous conduirait tout droit au désespoir, souvenez-vous de ces paroles, bien qu'elles vous paraissent maintenant obscures. Et pour tout résumer d'un mot qui ne se trouve plus jamais sur nos lèvres, bien que nos cœurs ne l'aient pas renié, en quelque conjoncture que ce soit, pensez que votre honneur est à la garde de Dieu. Dieu a pris votre honneur en charge, et il est plus en sûreté dans ses mains que dans les vôtres. Relevez-vous cette fois pour tout de bon. A Dieu, je vous bénis. A Dieu, ma petite enfant...

SCÈNE IX

Blanche sort. Mère Marie de l'Incarnation rentre avec le médecin.

LA PRIEURE

Monsieur Javelinot, je vous prie de me donner une nouvelle dose de ce remède.

M. JAVELINOT

Votre Révérence ne la supporterait pas.

LA PRIEURE

Monsieur Javelinot, vous savez qu'il est d'usage dans nos maisons qu'une Prieure prenne publiquement congé de la Communauté. On a fixé à dix heures, aujourd'hui, cette cérémonie. Sur vos instructions, je pense ?

M. JAVELINOT

Sur mon conseil, tout au plus. Mais s'il faut parler franchement, voilà bien des heures que mon art ne peut plus rien pour Votre Révérence, ne serait-ce que prévoir exactement sa fin.

MÈRE MARIE

La cérémonie dont parle Sa Révérence peut être aisément retardée.

LA PRIEURE

Oui-da ! jusqu'à ce que je ne sois plus bonne à rien, sans doute... Non, non, ma Mère. J'ai confiance que Dieu ne m'abandonnera pas au point de permettre que je quitte mes filles sans avoir demandé pardon d'une mort si différente de celle dont j'aurais dû donner l'exemple. Oui, Dieu me fera cette grâce... Mère Marie, tâchez de convaincre Monsieur Javelinot. Cet elixir ou un autre, n'importe quoi. Oh ! ma Mère, regardez : vais-je dans un instant montrer ce visage à mes filles ?

MÈRE MARIE

C'est peut-être celui de notre doux Seigneur à Gethsémani.

LA PRIEURE

Du moins les disciples dormaient, et il ne fut vu que des anges.

MÈRE MARIE

Nous ne méritions pas tant d'honneur d'être ainsi introduites et associées par la vôtre à ce qui, dans la Très Sainte Agonie, fut dérobé au regard des hommes... Oh ! ma Mère, ne vous mettez plus en peine de nous ! Ne vous inquiétez plus désormais que de Dieu.

LA PRIEURE

Que suis-je à cette heure, moi misérable, pour m'inquiéter de Lui ! Qu'Il s'inquiète donc d'abord de moi !

MÈRE MARIE *(presque durement)*

Votre Révérence délire.

> *La tête de la Prieure retombe lourdement sur l'oreiller. Presque aussitôt, on entend son râle. Mère Marie :*

Poussez tout à fait cette fenêtre. Notre Révérende Mère n'est plus responsable des propos qu'elle tient, mais il est préférable qu'ils ne scandalisent personne... A cette heure, le jardin est vide, mais nos Sœurs pourraient très bien l'entendre du lavoir.

> *A la jeune sœur qui, après avoir fermé la fenêtre, revient toute tremblante :*

Allons ! Sœur Anne de la Croix, vous n'allez pas maintenant vous évanouir comme une femmelette. Mettez-vous à genoux, priez. Cela vous vaudra mieux que des sels.

Tandis qu'elle parle, la Prieure s'est presque soulevée
sur son séant. Elle a les yeux fixes, et dès qu'elle cesse
de parler, sa mâchoire inférieure tombe.

LA PRIEURE

Mère Marie de l'Incarnation ! Mère Marie...

Sursaut de Marie de l'Incarnation.

MÈRE MARIE

Révérende Mère ?

LA PRIEURE

(d'une voix basse et rauque)

Je viens de voir notre chapelle vide et profanée — oh !
oh ! — l'autel fendu en deux, les vases sacrés jonchant le
sol, de la paille et du sang sur les dalles... Oh ! oh ! Dieu
nous délaisse ! Dieu nous renonce !

MÈRE MARIE

Votre Révérence est hors d'état de retenir sa langue,
mais je la supplie d'essayer de ne rien dire qui puisse...

LA PRIEURE

Ne rien dire... Ne rien dire... Qu'importe ce que je dis !
Je ne commande pas plus à ma langue qu'à mon visage.
L'angoisse adhère à ma peau comme un masque de
cire... Oh ! que ne puis-je arracher ce masque avec mes
ongles !

MÈRE MARIE

Votre Révérence devrait comprendre que ce sont là des
images du délire...

LA PRIEURE

Le délire ! Le délire ! Avez-vous jamais vu délirante de
mon espèce ? Ah ! croyez-moi, dans ce corps qui gît là
comme un sac de sable, il y a de quoi souffrir encore bien
des jours.

MÈRE MARIE

Ne prolongez pas plus longtemps cette lutte contre la nature.

LA PRIEURE

Lutter contre la nature. Ai-je jamais fait autre chose toute ma vie ? Est-ce que je sais faire autre chose ? Et me voilà maintenant prise au piège. Malheureuse ! Après avoir tant refusé à mon pauvre corps, et jusqu'aux plus légitimes douceurs, comment céderais-je maintenant pour la première fois à cette bête harassée que je ne sens même plus ?

MÈRE MARIE

Ah ! ma Mère, qui n'aurait compassion de vous !

LA PRIEURE

Que ne puis-je avoir premièrement compassion de moi-même !

Elle laisse de nouveau retomber sa tête sur l'oreiller avec une plainte étrange. Mère Marie se penche, voit les yeux fermés, hésite un moment, puis rejoint rapidement ses compagnes. Tandis qu'elle parle à voix basse, la Prieure lève lentement les paupières, sans d'ailleurs interrompre tout à fait son râle.

MÈRE MARIE

Prévenez vos Sœurs qu'elles ne verront pas la Révérende Mère aujourd'hui. A dix heures, récréation, comme d'habitude.

Le regard de la Prieure n'a cessé de bouger dans son visage déjà comme immobilisé par la mort. Mère Marie se retourne brusquement. Les regards de la mourante et de la vivante s'affrontent. On entend se ralentir peu à peu, puis s'arrêter tout à fait — sans doute au prix d'un effort immense — le râle de la Prieure. Long silence. Puis d'une voix forte :

LA PRIEURE

Mère Marie de l'Incarnation, au nom de la Sainte Obéissance, je vous ordonne...

SCÈNE X

La scène change tout à coup. Blanche vient de se coucher. Le glas. On entend des cris lugubres retentir dans la maison. C'est la Prieure qui entre en agonie. Blanche épouvantée sort de sa cellule et se dirige vers la lumière. Les Sœurs sont agenouillées à la porte de l'infirmerie. On voit la Prieure dressée et maintenue à genoux sur son lit, mais on entend très mal ce qu'elle dit. Son visage défiguré se tourne vers Blanche et on comprend qu'elle l'a vue, qu'elle l'appelle. Presque aussitôt, une religieuse s'approche de Blanche.

UNE SŒUR

La Révérende Mère veut que vous avanciez jusqu'à son lit.

Blanche reste debout, comme pétrifiée. Sa compagne la pousse presque durement. Elle se dirige vers le lit d'un pas de somnambule.
Changement d'image. On voit maintenant Blanche aux côtés de la Prieure. Désordre. Plusieurs religieuses parlent en même temps. Mère Marie de l'Incarnation répète : « C'EST UNE CHOSE INSENSÉE... ON NE DEVRAIT PAS PERMETTRE... » Il est de plus en plus difficile de maintenir à genoux la Prieure mourante. Deux religieuses agenouillées se lèvent et viennent aider leurs compagnes. Les lèvres de la Prieure remuent sans cesse. Blanche, livide, se penche plusieurs fois vers elle, mais il est visible que dans son trouble, elle comprend très mal, et ce sont les sœurs voisines qui s'efforcent à l'envi de répéter à son oreille les paroles qu'elles ont pu saisir.

On entend : « DEMANDE PARDON... MORT...
PEUR... PEUR DE LA MORT... » A la fin on voit
s'agiter de plus en plus le groupe pressé autour de
l'agonisante, qui, en dépit de tous les efforts,
s'écroule peu à peu sur son lit. Blanche, réussissant
enfin à surmonter son trouble, articule péniblement :

BLANCHE

La Révérende... Mère... désire... désire.

Plusieurs sœurs lui crient quelque chose. Elle s'inter-
rompt, le visage hagard, cherchant comment elle
pourrait continuer, puis dit d'une voix à laquelle le
désespoir donne une espèce d'assurance :

La Révérende Mère... désirait... aurait désiré...

Mais elle tombe à genoux, le visage enfoui dans le
drap du lit, en sanglotant.

SCÈNE XI

Chapelle des religieuses. La Prieure est morte et elle
est exposée dans le cercueil découvert, près de la
grille, au centre de la chapelle. Il fait nuit. La
chapelle n'est éclairée que par les six cierges autour
du cercueil. De part et d'autre, un prie-Dieu.
Blanche et Constance de Saint-Denis veillent le corps
de la défunte.
Récitation des psaumes. La flamme mouvante des
cierges éclaire le visage de la Prieure d'une façon
étrange. A un moment donné, Constance laisse
Blanche seule devant le cadavre pour aller chercher
des remplaçantes. Blanche a peur et s'enfuit. Quand
elle arrive à la porte, elle rencontre Mère Marie de
l'Incarnation qui aperçoit son trouble.

MÈRE MARIE

Que faites-vous ? N'êtes-vous pas de veille ?

BLANCHE

Je... Je... L'heure est déjà passée, ma Mère.

MÈRE MARIE

Que voulez-vous dire ? Vos remplaçantes sont à la chapelle ?

BLANCHE

C'est-à-dire que... que Sœur Constance est allée les chercher... Alors...

MÈRE MARIE

Alors vous avez pris peur et...

BLANCHE

Je ne croyais pas mal faire en allant jusqu'à la porte.

Sur un geste de Blanche pour retourner :

MÈRE MARIE

Non, mon enfant, de grâce ! Ne retournez pas d'où vous venez... Une tâche manquée est une tâche manquée, n'y pensez plus. Comme vous voilà tout émue ! Mais la nuit est fraîche, et je pense que vous tremblez moins de peur que de froid. Je m'en vais vous conduire moi-même à votre cellule.

On les voit devant la cellule.

Et maintenant, n'allez pas ruminer ce petit incident... Couchez-vous, signez-vous, et dormez. Je vous dispense formellement de toute autre prière. Demain votre faute vous inspirera plus de douleur que de honte, c'est alors que vous en pourrez demander pardon à Dieu, sans risquer de l'offenser davantage.

Blanche s'agenouille pour lui baiser la main. Marie de l'Incarnation retire vivement cette main — un peu trop vivement peut-être — et fait de la sienne, en refermant lentement la porte, un geste vague d'adieu ou de bénédiction.

Troisième tableau

SCÈNE I

Jour d'élection de la nouvelle Prieure. Dans le jardin du couvent, Blanche et Constance achèvent une croix de fleurs pour la tombe de la Prieure Croissy, qui est sous le cloître.

CONSTANCE

Sœur Blanche, je trouve notre croix bien haute et bien grosse. La tombe de notre pauvre Mère est si petite !

BLANCHE

Qu'allons-nous faire maintenant des fleurs qui nous restent ? Sœur Gérald n'en voudra pas pour la chapelle. Une chapelle de Carmélites n'est pas un reposoir de la Fête-Dieu, voilà ce qu'elle dit.

CONSTANCE

Hé bien, nous en ferons un bouquet pour la nouvelle Prieure.

BLANCHE

Je me demande si Mère Marie de l'Incarnation aime les fleurs ?

CONSTANCE

Dieu ! Je voudrais tant !

BLANCHE

Qu'elle aime les fleurs ?

CONSTANCE

Non, Sœur Blanche, mais qu'elle soit élue Prieure. J'ai
tellement prié à cette intention, Dieu m'exaucera, j'en
suis sûre.

BLANCHE

Vous croyez toujours que Dieu fera selon votre bon
plaisir !

CONSTANCE

Pourquoi pas ? Que voulez-vous, Sœur Blanche, chacun
se fait de Dieu l'image qu'il peut, à quoi bon discuter là-
dessus ? Il y a même des gens qui ont le malheur de ne
pas croire en Lui, je les plains de tout mon cœur, mais...
j'ose à peine vous dire...

BLANCHE

Vous finirez par le dire quand même, Sœur Constance...
dites-le tout de suite.

CONSTANCE

Hé bien, il me semble parfois qu'il est moins triste de ne
pas croire en Dieu du tout que de croire en un Dieu
mécanicien, géomètre et physicien. Les astronomes ont
beau faire. Je crois que la Création ressemble à une
mécanique comme un vrai canard ressemble de loin au
canard de Vaucanson. Mais le monde n'est pas une
mécanique non plus que le bon Dieu un mécanicien, ni
d'ailleurs un maître d'école avec sa férule, ou un juge
avec sa balance. Sinon, nous devrions croire qu'au jour
du Jugement, le Seigneur prendra conseil de ce qu'on
appelle les gens sérieux, pondérés, calculateurs. C'est
une idée folle, Sœur Blanche ! Vous savez bien que cette
sorte de gens ont toujours tenu les saints pour des fous,
et les saints sont les vrais amis et conseillers de Dieu...
Alors...

BLANCHE

Alors ?

CONSTANCE

Alors, dans mon idée, n'en déplaise aux gens sérieux,
Dieu est parfaitement capable de faire nommer Mère
Marie, seulement pour faire plaisir à un pauvre petit ver
de terre comme moi. Cela serait une folie sans doute,
mais il en a fait une bien plus grande en mourant pour
moi sur la Croix !

BLANCHE

J'aime autant penser que Mère Marie sera élue parce
qu'elle est la plus digne de l'être.

CONSTANCE

Oh ! j'ai beau être jeune, je sais bien déjà qu'heurs et
malheurs ont plutôt l'air tirés au sort que logiquement
répartis ! Mais, ce que nous appelons hasard, c'est peut-
être la logique de Dieu ? Pensez à la mort de notre chère
Mère, Sœur Blanche ! Qui aurait pu croire qu'elle aurait
tant de peine à mourir, qu'elle saurait si mal mourir ! On
dirait qu'au moment de la lui donner, le bon Dieu s'est
trompé de mort, comme au vestiaire on vous donne un
habit pour un autre. Oui, ça devait être la mort d'une
autre, une mort pas à la mesure de notre Prieure, une
mort trop petite pour elle, elle ne pouvait seulement pas
réussir à enfiler les manches...

BLANCHE

La mort d'une autre, qu'est-ce que ça peut bien vouloir
dire, Sœur Constance ?

CONSTANCE

Ça veut dire que cette autre, lorsque viendra l'heure de
la mort, s'étonnera d'y entrer si facilement, et de s'y
sentir confortable... Peut-être même qu'elle en tirera
gloire : « Voyez comme je suis à l'aise là-dedans, comme
ce vêtement fait de beaux plis... »

Silence.

On ne meurt pas chacun pour soi, mais les uns pour les
autres, ou même les uns à la place des autres, qui sait ?

Silence.

BLANCHE

(d'une voix un peu tremblante)

Voilà notre bouquet fini...

CONSTANCE

Et si c'était pour Mère Marie de Saint-Augustin que nous l'ayons fait ?...

BLANCHE

Quelle idée avez-vous là, Sœur Constance !

CONSTANCE

Oh, sans doute, en d'autres temps, personne n'eût songé à Madame Lidoine. Mais il y a maintenant de nos Sœurs pour dire que Mère Saint-Augustin serait mieux vue des gens de la municipalité, parce que son père était marchand de bœufs à Caumont. Dame ! les choses vont de plus en plus mal à ce qu'il paraît, Sœur Blanche ! Et Madame Lidoine est d'avis qu'on devrait faire la part du feu.

SCÈNE II

Pendant que la cloche sonne, la communauté se réunit au chapitre pour l'obédience à la nouvelle Prieure. C'est Mme Lidoine, Sœur Marie de Saint-Augustin. Comme toutes les salles communes, celle-ci est petite et voûtée. Au mur un très beau crucifix. Sous le crucifix le fauteuil de la Prieure. Le long des murs, un banc où s'assoient les religieuses. Cérémonie d'obédience. Chaque religieuse vient s'agenouiller devant la Prieure et lui baise la main. La nouvelle Prieure fait un petit discours :

LA PRIEURE

... Mes chères filles, j'ai encore à vous dire que nous nous trouvons privées de notre très regrettée Mère au moment où sa présence nous serait le plus nécessaire. Il en est sans doute fini des temps prospères et tranquilles où nous oublions trop aisément que rien ne nous assure contre le mal, que nous sommes toujours dans la main de Dieu. Ce que vaudra l'époque où nous allons vivre, je l'ignore. J'attends seulement de la Sainte Providence les vertus modestes que les riches et les puissants tiennent volontiers en mépris — la bonne volonté, la patience, l'esprit de conciliation. Mieux que d'autres, elles conviennent à de pauvres filles comme nous. Car il y a plusieurs sortes de courage, et celui des grands de la terre n'est pas celui des petites gens, il ne leur permettrait pas de survivre. Le valet n'a que faire de certaines vertus du maître : elles ne lui conviennent pas plus que le thym et la marjolaine à nos lapins de choux. Qui est bien sûr de ne jamais offenser Dieu peut supporter beaucoup de choses, quoi qu'il en coûte à son amour-propre. « Chien qui aboie mord mie » — paroles vides, mauvaises raisons — mieux vaut douceur que violence et une seule once de miel prend plus de mouches que setier de vinaigre. Je vous répète que nous sommes de pauvres filles rassemblées pour prier Dieu. Méfions-nous de tout ce qui pourrait nous détourner de la prière, méfions-nous même du martyre. La prière est un devoir, le martyre est une récompense. Lorsqu'un grand Roi, devant toute sa cour, fait signe à la servante de venir s'asseoir avec lui sur son trône, ainsi qu'une épouse bien-aimée, il est préférable qu'elle n'en croie pas d'abord ses yeux ni ses oreilles, et continue à frotter les meubles. Je vous demande pardon de m'exprimer à ma manière, un peu à la bonne franquette. Mère Marie de l'Incarnation, veuillez trouver la conclusion de ce petit propos...

> *Hésitation. Mais Mère Marie n'est pas de celles qui se font demander deux fois la même chose.*

MÈRE MARIE

Mes Sœurs, Sa Révérence vient de vous dire que notre premier devoir est la prière. Mais celui de l'obéissance n'est pas moins grand, et doit être accompli dans le même esprit, c'est-à-dire dans un profond abandon de

nous-mêmes et de notre jugement propre. Conformons-
nous donc, non seulement de bouche, mais de cœur, aux
volontés de Sa Révérence.

SCÈNE III

*Cellule de la Prieure. Elle a reçu une lettre de
Mgr Rigaud, Supérieur du Carmel, l'invitant à donner le voile aux postulantes.*

MÈRE MARIE

Sous le bon plaisir de Votre Révérence, et en toute
sincérité de conscience, je ne saurais approuver cette
prise de voile.

LA PRIEURE

Sœur Blanche est postulante, et Mgr Rigaud m'invite à
donner le voile aux postulantes, voilà comment se pose le
problème.

MÈRE MARIE

Si Votre Révérence le pose ainsi, elle le résout par
avance.

Silence.

LA PRIEURE

Ne craignez-vous pas de prendre trop au sérieux des
enfantillages ? Sans vous offenser, Mère Marie, j'ai vécu
toute ma jeunesse avec des filles qui ne se croyaient pas
déshonorées pour avoir peur des revenants, ou même
des rats et des souris. Elles n'en faisaient pas moins plus
tard des femmes dures à la tâche, ménagères en diable,
et qui savaient mener leur monde. Dans vos familles
nobles, une fille un peu craintive se voit tout de suite
comme une verrue au milieu de la figure. Dame ! C'est
que la réputation d'une personne de qualité ressemble à
ces teints délicats qui ne supportent pas le hâle... Que

nous importent, à nous, ces mignardises ? Par ma coiffe ! le Carmel n'est pas un ordre de chevalerie, que je sache !

MÈRE MARIE

Votre Révérence a peut-être plus raison encore qu'elle ne pense. Il y a des raffinements de point d'honneur qui ne sont guère plus que des colifichets. Mais pour avoir peur des rats ou des souris, les filles dont vous venez de parler ne manquaient pas de caractère, à en juger par ce qu'elles devenaient plus tard. C'est le caractère qui manque à Blanche de la Force.

LA PRIEURE

Comment pouvez-vous penser ainsi d'une religieuse dont notre Révérende Mère a voulu tenir la main en mourant, et qu'elle vous a confiée ?

MÈRE MARIE

Ce que je sens pour Blanche de la Force ne saurait m'empêcher de dire à Votre Révérence que, dans les épreuves qui nous menacent, ce manque de caractère peut devenir un péril pour la Communauté.

Silence.

LA PRIEURE

Monseigneur désire cette prise de voile...

Silence.

MÈRE MARIE

Il est difficile de ne pas déférer à ce désir, je l'avoue. Mais au cas où Votre Révérence prendrait ce parti, je voudrais qu'elle m'autorisât, dès maintenant, à venir en aide, par des actes particuliers de pénitence, à...

Mouvement de la Prieure. Silence.

Je ne demande naturellement pas mieux que de solliciter chaque fois l'agrément de Votre Révérence...

Oh ! je m'en rapporte à vous, ma Mère. Nous paraissons
un peu différentes, nos voies ne sont pas tout à fait les
mêmes, et pourtant nous nous comprendrons toujours
très bien, s'il plaît à Dieu... Vos craintes sont justifiées,
je ne prétends pas le contraire. Mais que je prenne en
main cette petite aristocrate, comme il est à la mode de
dire aujourd'hui, et je vous en ferai une vraie Carmélite,
aussi bonne à la chapelle qu'au lavoir, une Vierge sage
incapable de perdre la tête, fût-ce dans l'extase, car c'est
bien ainsi que les voulait notre Sainte Fondatrice, n'est-il
pas vrai ?... Allons ! Allons ! Ma comparaison tout à
l'heure n'était pas si folle, je connais mon monde. En
France, il ne faut pas gratter beaucoup de l'ongle une
fille de grande seigneurie pour retrouver la paysanne, et
la plus mijaurée des duchesses a la même santé de corps
ou d'âme que sa fermière...

Votre Révérence est bien capable de faire de ma fille ce
qu'elle dit, mais je crains que le temps ne lui manque.

SCÈNE IV

Cérémonie de la prise de voile de Blanche, à la
chapelle du couvent. Les Sœurs portent le grand voile
et le manteau blanc. L'autel est très fleuri. La
nouvelle Prieure et Mère Marie de l'Incarnation
amènent à la grille Blanche de la Force, également en
blanc et le visage découvert. Elle reçoit le nom de
Blanche de l'Agonie du Christ.

SCÈNE V

Parloir. Un délégué de la municipalité et le notaire du couvent expliquent qu'ils doivent procéder à l'inventaire des biens de la Communauté qui sont mis à la disposition de la nation. Cet inventaire porte sur tous les biens fonciers et sur les dots des Sœurs. Le ton est parfaitement courtois et les officiers d'état civil s'excusent de leur démarche.

SCÈNE VI

Récréation, après la visite et l'inventaire.

LA PRIEURE

… Vous savez ce que signifie cette démarche des officiers civils. Je dirais que nous sommes menacées de la pauvreté, si la pauvreté pouvait être jamais pour nous une menace. Que dites-vous tout bas, Sœur Blanche ?

BLANCHE

Ma Révérende Mère, je disais… je disais… je disais : tant mieux ! on travaillera…

LA PRIEURE

Si vous étiez à notre place, ma petite fille, vous sauriez que la difficulté, pour une maison comme la nôtre, est de subsister dans la pauvreté sans manquer à la décence. Notre affaire n'est pas de prouver aux badauds qu'on peut vivre sans manger, comme ce fameux âne du père Mathieu qui mourut le jour même où il allait démontrer la chose. Et à quoi travaillerez-vous, Sœur Blanche ?

BLANCHE

Nous pourrions organiser un atelier de couture, Révérende Mère…

LA PRIEURE

Voyons d'abord les biens dont nous disposons avant d'escompter les bénéfices futurs. Sœur Mathilde, que reste-t-il de nos provisions d'hiver ? Depuis la mort de Sa Révérence je n'ai, autant dire, pas mis les pieds à la procure...

SŒUR MATHILDE

Révérende Mère, il ne reste pas grand-chose. Les grosses gelées se sont prolongées jusqu'à la mi-mars, et dans les derniers temps de sa vie, la Révérende Mère donnait un peu sans compter. Compter n'était pas son fort.

LA PRIEURE

C'est le mien. Voyez-vous, mes filles, nous avons vécu trop souvent jusqu'alors à la manière des gens du beau monde où il est bienséant de jeter l'argent par les fenêtres. A quoi servirait d'avoir soulagé quelques mendiants de plus si nous ruinions notre maison, et que, l'hiver prochain, les pauvres gens trouvent ici porte close ?... Par ma coiffe ! C'est tout juste l'histoire du bon Blaise qui coupa le pommier pour avoir la pomme... Allons, Sœur Blanche, je vois bien qu'il faut en revenir à votre atelier de couture.

SŒUR BLANCHE

Ce sera si amusant !

LA PRIEURE

Les mains de Sœur Blanche la démangent rien qu'à la pensée de tripoter de nouveau le linon et la dentelle...

SŒUR MATHILDE

Sans reproche, Sœur Blanche, ce sera moins fatigant que de scier le bois du bûcher comme nous faisons depuis mercredi, Sœur Anne et moi...

LA PRIEURE

Voyons, voyons, mes filles, la besogne ne doit pas tellement vous déplaire. Je vous entends rire tout le temps.

SŒUR ANNE

C'est que ça nous rappelle chez nous, Révérende Mère, Sœur Mathilde et moi, nous sommes quasi voisines. Elle est de Cormeilles et moi de Blémont-sur-Oise.

SŒUR MATHILDE

Dame ! le travail ne nous fait pas peur.

LA PRIEURE

Paix ! paix ! mes petites filles. Pas de vantardises ! Je gage que chez vous les filles avaient encore beau temps. Monsieur votre père a racheté presque toutes les terres de son seigneur, et le Marquis de Manerville est présentement bien moins riche que son fermier...

Sœur Blanche se tient un peu à l'écart. Une religieuse fait quelques pas vers elle, hors du groupe, et s'écrie :

SŒUR GERTRUDE

Mon Dieu, ma Mère, Sœur Blanche a l'air de pleurer !

Elle ramène Sœur Blanche, qui s'efforce de sourire.

SŒUR MATHILDE

Nous plaisantions, Sœur Blanche. Scier le bois du bûcher, c'est notre affaire, et cela nous met en appétit.

LA PRIEURE

Voilà une discussion bien frivole. Dirait-on pas que l'esprit du siècle pénètre partout, jusqu'à travers les murailles du Carmel.

SŒUR MARTHE

Il n'y a point chez nous de bourgeoises ou d'aristocrates.

LA PRIEURE

Fi ! la bonne intention, et le sot langage !

SŒUR MARTHE

Que Votre Révérence m'excuse. Je voulais seulement dire que nous sommes toutes sœurs. Est-ce que les

hommes ne devraient pas être aussi tous frères ?
N'avons-nous pas été faits tous égaux par le baptême ?

SŒUR VALENTINE DE LA CROIX

Les frères ne sont pas forcément égaux entre eux, Sœur
Marthe...

SŒUR MARTHE

Sans doute.

SŒUR ALICE

Mais les nobles ne sont pas nos frères aînés, Sœur
Valentine de la Croix. Vous connaissez bien le vieux
dicton : lorsque Adam labourait et que Ève filait, où
était le gentilhomme ?

SŒUR VALENTINE DE LA CROIX

Permettez, Sœur Alice ! On raconte que notre premier
père a vécu plus de mille ans. Gageons qu'avant sa mort
il a bien dû finir par désigner, entre tant d'enfants, ceux
qui laboureraient la terre et ceux aussi, en bien plus petit
nombre, qui la défendraient contre les voleurs. Ainsi
sont nés les gentilshommes.

SŒUR MARTHE

Que les moutons aient donné leur laine avant qu'on ait
pensé à dresser les chiens pour les garder, cela ne saurait
être retenu ni contre les moutons, ni contre les chiens, ni
contre le berger.

SŒUR ALICE

Il arrive que le chien se régale d'un mouton...

SŒUR VALENTINE

Si les moutons se débarrassaient des chiens, en seraient-
ils plus assurés contre le loup ?

SŒUR ANNE

C'est pourtant vrai que les nobles font la guerre. Notre
noble a perdu trois fils au service du Roi, et feu son père

était tout tordu d'un coup de mousquet qu'il avait reçu dans les reins. Maintenant la Demoiselle reste fille, faute de dot. C'est grand-pitié de voir Monsieur le Comte, le dimanche à la messe, avec des chausses toutes rapiécées.

SŒUR ALICE

Parions qu'il n'en lève pas moins haut le menton.

SŒUR MATHILDE

Pour le baisser à ct' heure, il choisirait bien mal son temps !

SŒUR MARTHE

Dame, c'est vrai, Sœur Mathilde, faut être juste. Mon bon père a du bien, lui aussi, mais ce n'est qu'un simple villageois comme un autre. N'empêche que ça lui fend le cœur de voir tenir chez nous le haut du pavé par des ivrognes et des fainéants connus à dix lieues à la ronde, et qui ne trouvaient jadis d'embauche qu'au temps de la moisson.

SŒUR VALENTINE

Les patriotes ont brûlé neuf châteaux, rien que dans le Beauvoisis.

SŒUR ALICE

Oui-da, ma sœur. Mais pensez que les périodes de grands troubles ressemblent aux épidémies de peste ou de choléra. Elles font sortir partout la canaille, comme la pluie les escargots et les limaces. Il en est tout de même de ces patriotes qui honorent le Christ. A Verchin, on dit qu'ils ont porté la Croix de Notre Seigneur en triomphe.

SŒUR VALENTINE

Après avoir pillé l'église et décapité les saints du portail...

SŒUR ALICE

Verchin n'est qu'un méchant petit village, et ce qu'on y voit ne saurait décider de l'opinion à tenir.

SŒUR GERTRUDE

C'est vrai ça, Sœur Alice, Verchin est Verchin, mais
Paris est Paris... Et n'est-ce pas à Paris qu'on a vu notre
bon Roi présider cette fameuse fête où le Prince-Évêque
d'Autun officiait sur une estrade haute de vingt pieds ?
N'est-ce pas Monsieur notre Aumônier qui nous disait
alors qu'on n'avait jamais vu tel spectacle depuis l'Histoire romaine ?

SŒUR CONSTANCE *(éclatant)*

Hé ! qu'avons-nous besoin des Grecs et des Romains ?
Est-ce que nos Français ont des leçons à recevoir de
personne ?

SŒUR GERTRUDE

Vous voilà tout à coup bien guerrière, Sœur Constance...
Irez-vous travailler à l'atelier de Sœur Blanche l'armet
sur la tête et l'épée au côté ?

SŒUR CONSTANCE

Oh ! moquez-vous, Sœur Gertrude, qu'importe ! Si mon
sexe et mon état me le permettaient, je donnerais bon
compte des gens dont vous parlez...

SŒUR GERTRUDE

Lorsque vous les verrez de près, ma petite Sœur...

SŒUR CONSTANCE

Hé bien, je me soucierai d'eux comme un poisson d'une
pomme.

SŒUR GERTRUDE

Prenez garde, ma petite Sœur, que Monseigneur saint
Pierre a été bien puni pour avoir parlé comme vous.

SŒUR CONSTANCE

Oh ! Saint Pierre... Saint Pierre... D'abord saint Pierre
n'était ni français ni...

Elle s'arrête brusquement.

SŒUR GERTRUDE

Ni quoi encore ?

SŒUR ALICE

Parlez hardiment, Sœur Constance...

SŒUR MARTHE

Gageons qu'elle allait dire que saint Pierre n'était pas gentilhomme.

Toutes rient.

SŒUR ANNE

Comment vous tirerez-vous de là, Sœur Constance ?

SŒUR MARTHE

Est-ce vrai, oui ou non ?

SŒUR CONSTANCE *(incapable de mentir)*

C'est vrai que je l'ai pensé...

Suppliante, les larmes aux yeux :

Mais je ne pensais pas ainsi par orgueil ou par mépris pour personne... Je voulais dire seulement que, puisque saint Pierre n'était pas soldat, il a eu tort de donner à Notre Seigneur une parole de soldat... Il était un simple pêcheur. S'il avait donné simplement sa parole de pêcheur, il l'aurait tenue.

SŒUR BLANCHE

Bien répondu, Sœur Constance !

SŒUR GERTRUDE

Oh ! vous, Sœur Blanche...

Très bref silence. Juste le temps de comprendre qu'il y a dans le couvent une certaine méfiance envers Sœur Blanche. Mais une religieuse dit aussitôt, pour couper court à l'embarras de chacune :

SŒUR MARTHE

Et vous, que pensez-vous des patriotes, Sœur Blanche ?

Le bref silence l'a visiblement déconcertée. Elle a pâli, ses lèvres tremblent.

SŒUR BLANCHE

Je... Je... Je pense qu'ils n'aiment pas la Religion, ma Sœur...

SŒUR MARTHE

C'est peut-être qu'ils l'ignorent ?...

SŒUR VALENTINE

Oh ! Oh ! vous avez de grandes illusions, ma Sœur...

SŒUR MARTHE

Et vous de petits partis pris, ma Sœur...

LA PRIEURE

Allons, allons, mes filles ! Voilà dix minutes que nous vous laissons un peu la bride sur le col et vous en êtes déjà, Dieu me pardonne, à tenir séance entre vous, comme ces Messieurs du Parlement ! Qu'une expérience si humiliante serve de leçon à celles qui se croient déjà toutes détachées de ce monde parce qu'elles prennent plaisir à faire oraison. Voyez-vous, mes filles, les bonnes gens nous jugent très différentes d'eux. Il en est pourtant de notre sainte Règle et de cette maison — non moins dépendantes l'une de l'autre que le corps et l'âme — comme de la majesté royale ou des vêtements somptueux dont se masque parfois la misère d'un corps disgracié. Hors de la Règle et de notre maison, que serions-nous, malheureuses ! Comptez donc bien que rien ne me coûtera pour obtenir qu'on nous laisse vivre ici, selon notre vocation, dût le reste du monde s'embraser.

Avant d'affronter la violence, l'esprit de notre Règle est de faire tout ce qu'il faut pour la désarmer. Comme il n'est pas de bataille sans morts, il n'est pas de martyre sans homicides, et une humble fille du Carmel doit trouver qu'à moins de ne pouvoir faire autrement sans offenser le bon Dieu, c'est payer bien cher la gloire de misérables servantes comme nous que de l'obtenir, peut-être, au risque du salut éternel de leurs bourreaux... Et d'ailleurs pourquoi parler de martyre? Il n'est pas question pour nous de martyre, je ne veux pas que vos têtes s'échauffent là-dessus. Nous risquons d'être jetées à la rue, rien de plus. Notre situation ressemble à celle de pauvres gens qui n'ont pu acquitter le terme de la Saint-Jean, et se trouvent sans un sol le jour de la Saint-Michel. Voilà de quoi refroidir vos imaginations.

SCÈNE VII

La Prieure est auprès de Marie de l'Incarnation. Coup de sonnette. Bruits divers étouffés par l'épaisseur des murailles. La Prieure et Marie de l'Incarnation se regardent. Une Sœur entre enfin.

LA PRIEURE

Que se passe-t-il?

LA SŒUR

Il y a au guichet un homme à cheval qui désire voir la Révérende Mère Prieure.

LA PRIEURE

A quel guichet?

LA SŒUR

Celui de la ruelle.

LA PRIEURE

Pour tenir tant à passer inaperçu, ce ne peut être un ennemi. Allez voir, ma Mère.

La Révérende Mère est debout et ses lèvres remuent imperceptiblement. Mais son visage reste impassible. Mère Marie revient au bout d'un instant.

MÈRE MARIE

Ma Mère, il s'agit de Monsieur de la Force qui désire voir sa sœur avant de partir pour l'étranger.

LA PRIEURE

Qu'on aille prévenir Blanche de la Force. Les circonstances autorisent cette infraction à la Règle. Je désire que vous assistiez à l'entretien.

MÈRE MARIE

Si Votre Révérence voulait bien le permettre...

LA PRIEURE

Vous, ma Mère, et non une autre.

SCÈNE VIII

Parloir. Le rideau est à moitié tiré. Blanche a le visage découvert. Derrière la partie non tirée du rideau, Mère Marie de l'Incarnation assiste à l'entretien, recouverte du grand voile.

LE CHEVALIER

Pourquoi vous tenez-vous ainsi depuis vingt minutes, les yeux baissés, répondant à peine? Est-ce là l'accueil qu'on doit à un frère?

BLANCHE

Dieu sait combien je voudrais ne vous causer aucun déplaisir!

LE CHEVALIER

En deux mots comme en cent, notre père juge que vous n'êtes plus ici en sûreté.

BLANCHE

Je n'y suis peut-être pas, mais je m'y sens, cela suffit pour moi.

LE CHEVALIER

Comme votre ton est différent de celui d'autrefois ! Il y a dans vos manières présentes je ne sais quoi de contraint et de forcé.

BLANCHE

Ce qui vous paraît contrainte n'est que manque d'habitude et maladresse. Je n'ai pu encore me faire au bonheur de vivre heureuse et délivrée.

LE CHEVALIER

Heureuse peut-être, mais non pas délivrée. Il n'est pas en votre pouvoir de surmonter la nature.

BLANCHE

Hé quoi, la vie d'une Carmélite vous paraît-elle si conforme à la nature !

LE CHEVALIER

Dans des temps comme ceux-ci il est plus d'une femme jadis enviée de tous qui troquerait volontiers sa place contre la vôtre. Je vous parle durement, Blanche, mais c'est que j'ai devant les yeux l'image de notre père resté seul parmi des valets.

BLANCHE *(avec un geste de désespoir)*

Vous me croyez retenue ici par la peur !

LE CHEVALIER

Ou la peur de la peur. Cette peur n'est pas plus honorable, après tout, qu'une autre peur. Il faut savoir risquer la peur comme on risque la mort, le vrai courage est dans ce risque. Mais je vous parle peut-être ici un langage trop rude pour vous, un langage de soldat ? Dieu m'est témoin que je n'ai jamais cessé de voir en vous une victime innocente du plus cruel, du plus injuste des sorts...

BLANCHE *(voix étouffée)*

Je ne suis plus désormais ici que la pauvre petite victime de Sa Divine Majesté. Dieu fera de moi selon son bon plaisir.

LE CHEVALIER

Sans être grand clerc en Sorbonne, je vous répondrai qu'ici ou ailleurs, il en serait de même.

BLANCHE

Non pas, mon frère, c'est en ce lieu que je me sens le plus à sa merci.

LE CHEVALIER

Cette espèce d'assurance ne saurait vous dispenser d'obéir aux volontés d'un père.

BLANCHE

En prenant le voile, j'ai cessé de dépendre de lui. Je ne lui dois plus que l'amour et le respect de mon cœur.

LE CHEVALIER

Blanche, lorsque je suis entré tout à l'heure, peu s'en est fallu que vous tombiez en faiblesse et j'ai cru voir, à la lueur de ce mauvais quinquet, en une seconde, toute notre enfance. C'est probablement par ma maladresse que nous en sommes venus à des propos qui sont presque des défis. A-t-on changé mon petit lièvre ?

BLANCHE

On l'a changé. Oh ! non pas, certes, dans sa tendresse pour vous ! Mais il est vrai que ce grand jour de ma prise de voile a été comme une nouvelle naissance.

LE CHEVALIER

Si je vous comprends bien, cette nouvelle naissance doit vous rendre libre vis-à-vis de celui auquel vous devez la première ? Oh ! Blanche, trêve de vaines subtilités ! Songez que nos parents et nos amis sont maintenant dispersés ; personne, ici, ne s'oppose à ce que vous alliez rejoindre notre père. Il ne peut plus compter que sur vous.

BLANCHE

Ne lui restez-vous pas ?

LE CHEVALIER

Mon devoir m'appelle à l'armée de Monsieur le Prince.

BLANCHE

Hé bien, le mien me retient ici. Oh ! pourquoi voulez-vous jeter de nouveau le doute en moi, comme un poison ? De ce poison, j'ai failli périr. C'est vrai que je suis autre. C'est vrai que Dieu m'a donné cette vertu de force, ce don de l'Esprit-Saint, dont je suis indigne, mais qui n'en est pas moins mille fois plus précieux que le courage charnel dont les hommes tirent tant de vanité.

LE CHEVALIER

Vous n'avez plus peur de rien ?

BLANCHE

Je sais que vous vous moquez de moi. C'est pourtant vrai que je ne crains plus rien. Où je suis, rien ne peut m'atteindre.

Un silence.

LE CHEVALIER

Hé bien, adieu, ma chérie.

Elle s'est rapprochée brusquement. A ce mot d'adieu, elle faiblit, prend à deux mains la grille. Sa voix change de ton, bien qu'elle s'efforce de la maintenir ferme.

BLANCHE

Oh ! ne me quittez pas sur un adieu de fâcherie ! Hélas ! vous m'avez donné si longtemps votre compassion que

vous ne pouvez sans peine lui substituer cette simple
estime que vous donnez, presque sans y penser, à
n'importe lequel de vos amis !

LE CHEVALIER

Blanche, c'est vous maintenant qui parlez trop durement.

BLANCHE

Il n'y a en moi à votre égard que douceur et tendresse.
Mais je ne suis plus ce petit lièvre. Je suis une fille du
Carmel qui va souffrir pour vous et à laquelle je voudrais
vous demander de penser comme à un compagnon de
lutte car nous allons combattre chacun à notre manière,
et la mienne a ses risques et ses périls comme la vôtre.

> *Elle a prononcé ces mots avec un rien d'emphase*
> *puérile et de maladresse, qui les rend plus touchants.*
> *Marie de l'Incarnation a fait un pas en avant. Le*
> *Chevalier enveloppe Blanche d'un long regard indé-*
> *finissable. Blanche se retient à la grille pour ne pas*
> *tomber. Mère Marie de l'Incarnation s'avance.*

MÈRE MARIE

Remettez-vous, Sœur Blanche.

BLANCHE

Oh ! ma Mère, n'ai-je pas menti ? Ne sais-je pas qui je
suis ? Hélas ! j'étais si harassée de leur pitié ! Que Dieu
me pardonne ! La douceur m'en écœurait l'âme. Oh ! ne
serai-je jamais pour eux qu'une enfant ?

MÈRE MARIE

Allons il est temps de partir.

BLANCHE

J'ai été orgueilleuse et je serai punie.

MÈRE MARIE

Il n'est qu'un moyen de rabaisser son orgueil, c'est de
s'élever plus haut que lui, ma fille. Mais on ne se

contorsionne pas pour devenir humble, comme un gros chat pour entrer dans la ratière. La véritable humilité est d'abord une décence, un équilibre.

Elle retient doucement en passant la taille un peu ployée de Blanche.

Tenez-vous fière.

SCÈNE IX

L'aumônier arrive en fin d'entretien et invite le Chevalier à souper avant de reprendre la route. Il l'emmène chez lui et le sert lui-même à table.

L'AUMÔNIER

A parler franc, Monsieur le Chevalier, je crois que votre sœur est bien ici, pour l'instant, où Dieu la veut.

LE CHEVALIER

Oh! nous n'avons jamais songé à la contraindre. J'ai pour elle, avec l'affection la plus tendre, l'espèce de sentiment qu'un homme aussi simple que moi doit ressentir devant un être marqué par le destin. Elle est venue au monde comblée de tous les dons de la naissance, de la fortune, de la nature. La vie était pour elle comme remplie à pleins bords d'un breuvage délicieux qui se changeait en amertume dès qu'elle y trempait les lèvres...

L'AUMÔNIER

Allons! Allons! nous nous sommes dit là-dessus tout ce que nous avions besoin de dire. Reprenez plutôt hardiment de mon petit vin, il est franc comme l'or et frais comme l'œil, ce sera le coup de l'étrier. Que comptez-vous faire maintenant?

LE CHEVALIER

Prendre le large bien avant l'aube. Car la route n'est pas sûre jusqu'à Vermont. Mais j'ai là un gîte où me refaire un peu et envoyer un exprès à mon père.

L'AUMÔNIER

Monsieur le Marquis doit bien s'inquiéter de vous?

LE CHEVALIER

C'est moi qui m'inquiète de lui. Car tout vieux qu'il est, rien n'altère sa bonne humeur ni ne modifie ses habitudes. On dirait que les survivants de ces générations formées pour le plaisir, en ne se refusant rien ont appris à se passer de tout. Il regarde les événements se rouler les uns sur les autres ainsi que des troncs d'arbres en temps de crue, et croit pouvoir attendre que le fleuve soit rentré dans son lit.

L'AUMÔNIER

Hélas! je crains bien que le fleuve, avant de reprendre son cours, n'ait emporté ses rives. Lorsque vous reviendrez, Monsieur le Chevalier, que retrouverez-vous de ce que vous êtes parti pour défendre?

LE CHEVALIER

Bah! Le torrent ne jettera bas que ce qui lui barre le chemin. Qu'auriez-vous à redouter ici?

L'AUMÔNIER

Mon fils, les Français ne se sont jamais battus entre eux que pour le compte et au bénéfice d'autrui. Mais ils ont toujours voulu croire qu'ils se battaient pour des principes. Ainsi toute guerre civile tourne en guerre de religion.

LE CHEVALIER

Ils n'en veulent pourtant qu'à la naissance!

L'AUMÔNIER

Fariboles! C'est vous que l'on craint, mais c'est nous qu'on hait...

SCÈNE X

Une commission vient au monastère, menée par un petit homme bizarre coiffé d'un bonnet phrygien. Marie de l'Incarnation l'accompagne.

UN COMMISSAIRE

Que signifie cette comédie ?

MÈRE MARIE

La religieuse que voici doit simplement vous précéder en sonnant de la clochette. Telle est la règle dans cette maison.

LE COMMISSAIRE

Nous ne connaissons d'autre règle que la Loi. Nous sommes représentants de la Loi.

MÈRE MARIE

Nous ne sommes que de pauvres servantes de la nôtre. C'est ce qui doit excuser mon insistance. Mais puisque vous êtes en mesure d'exiger ce qu'on vous refuse, je n'insisterai pas davantage.

UN COMMISSAIRE

Faisons vite !

MÈRE MARIE

Je voudrais vous retarder le moins possible. J'ai reçu de notre Révérende Mère Prieure l'ordre de vous faire visiter cette maison.

UN COMMISSAIRE

Nous la visiterons aussi bien sans vous.

MÈRE MARIE

Mon rôle n'est pas de vous tenir compagnie, mais de vous épargner la peine de forcer des serrures que je puis ouvrir avec mes clefs.

UN AUTRE COMMISSAIRE

Ne discutons pas avec elle, citoyen, c'est une fine mouche, elle aura toujours le dernier mot.

LE PREMIER COMMISSAIRE

Je te prie, citoyen, d'observer un langage plus convenable à la mission qui nous est confiée.

MÈRE MARIE

Si vous avez vraiment jamais cru trouver ici de l'or ou des armes, à ce qu'on dit dans les feuilles, n'est-ce pas assez d'avoir fouillé de fond en comble notre petite cave et notre cellier ? A quoi bon visiter maintenant des cellules où vous ne trouverez qu'une paillasse et un prie-Dieu ?

LE PREMIER COMMISSAIRE

Nous y trouverons peut-être aussi de jeunes citoyennes qui, séquestrées ici par leur famille, ont droit à la protection de la Loi.

Mère Marie ouvre la première cellule. Elle est vide. Une autre, dont la porte se referme sur elle. On entend un bruit de voix. La porte s'ouvre de nouveau. La religieuse paraît sur le seuil. On distingue très mal ses traits sous le long voile.

LE COMMISSAIRE

J'exige qu'on en finisse avec cette ridicule mascarade. Enlevez ce voile.

La religieuse reste immobile. Mère Marie l'invite doucement à retirer son voile. C'est une religieuse très vieille, et qui ne correspond nullement à l'image d'une jeune personne séquestrée par sa famille. Le premier commissaire s'énerve.

Citoyenne, donnez vos clefs. Ce citoyen m'introduira lui-même dans les cellules. Votre présence en impose certainement à ces malheureuses.

> *Le nain ouvre la porte de la cellule de Blanche. Dès qu'il passe son visage grimaçant dans l'entrebâillement, Blanche pousse un cri déchirant; les mains tendues en avant, elle recule jusqu'à la paroi du fond de la cellule, et se tient debout, plaquée au mur comme si elle attendait la mort. Mère Marie est restée dans le couloir. Son visage trahit violemment un premier mouvement, sans doute impossible à réprimer, de mépris et de colère pour la lâcheté de Blanche. La porte se referme sur les commissaires. Bruit de voix à l'intérieur. Mère Marie se contraint visiblement à rester immobile. La porte s'ouvre de nouveau.*

LE COMMISSAIRE

Citoyenne, je vous somme de me dire depuis combien de temps cette jeune personne se trouve séquestrée ici?

MÈRE MARIE

Je pense, Monsieur, que vous devez le lui demander vous-même.

LE COMMISSAIRE

Elle semble avoir perdu jusqu'à l'usage de la parole.

MÈRE MARIE

Ne croyez-vous pas que Monsieur l'a terrorisée en entrant? Croyez-vous que l'apparence et la tenue de Monsieur n'ont pas de quoi l'émouvoir?

UN AUTRE COMMISSAIRE

Citoyen Monstrelet, ne vous laissez pas prendre à ses ruses. La jeune citoyenne s'expliquera tout à l'heure devant la Municipalité.

MÈRE MARIE

Votre ordre de perquisition ne saurait vous donner aucun droit sur les personnes. Cette jeune fille ne sortira d'ici que de son plein gré.

Elle entre dans la cellule. On voit sur son visage, en apparence très calme, une espèce d'inquiétude mêlée de pitié.

Sœur Blanche...

LE COMMISSAIRE

Je vous défends de continuer...

MÈRE MARIE

Vous avez le pouvoir de me contraindre au silence, mais non pas celui de m'en faire une obligation. Je représente ici la Révérende Mère Prieure et je ne recevrai pas d'ordre de vous.

UN COMMISSAIRE

Sacrée mâtine ! On ne lui fera pas fermer son bec, citoyen, mais rappelez-lui que la République dispose d'une machine à couper le sifflet.

LE PREMIER COMMISSAIRE

Assez ! je vous réitère d'avoir à observer la contenance d'un véritable représentant du peuple.

Il se tourne vers Blanche.

Jeune citoyenne, ne craignez rien de nous qui sommes vos libérateurs. Dites un seul mot, et vous vous trouverez hors du pouvoir de ceux qui pour mieux vous assujettir n'ont pas craint d'offenser la nature en usurpant jusqu'au nom sacré de Mère. Sachez que vous vous trouvez dès maintenant sous la protection de la Loi.

MÈRE MARIE

Elle est d'abord sous la mienne. Croyez-vous que je vous laisserai plus longtemps abuser de la terreur d'une enfant ? Je me garderai bien d'user d'un langage que

vous ne pouvez pas comprendre. De ce qui nous retient
ici et nous y maintient unies jusqu'à la mort, vous ne
savez rien, ou si vous l'avez su, vous l'avez sans doute
oublié. Mais il y a peut-être encore des mots qui nous
sont communs et qui restent capables de toucher votre
conscience. Hé bien, Monsieur, sachez que chez la plus
pauvre fille du Carmel, l'honneur parle plus haut que la
crainte.

*A ce mot d'honneur, les paupières de Blanche se
relèvent. Son regard va de l'un à l'autre comme celui
d'une personne qui s'éveille. Elle se jette dans les bras
de Marie de l'Incarnation en sanglotant.*

SCÈNE XI

*Devant le chapitre, dont la porte est gardée par deux
soldats. Les Sœurs sont réunies sous le cloître et sont
appelées individuellement à l'intérieur pour y subir
un interrogatoire. Avant d'entrer, chacune s'agenouille auprès de la Prieure et lui demande sa
bénédiction. Quand c'est le tour de Marie de l'Incarnation, elle s'agenouille comme les autres, puis entre
à l'intérieur du chapitre. Les commissaires sont
debout dans la salle; le premier d'entre eux est assis
nonchalamment dans le fauteuil de la Prieure. Marie
de l'Incarnation reste également debout.*

LE COMMISSAIRE

Nous devons nous en tenir pour l'heure aux déclarations
que vient de faire la citoyenne. Mais ne croyez pas
l'affaire finie, en ce qui la concerne. Je rendrai compte à
la Municipalité de ce que j'ai vu.

MÈRE MARIE

C'est à votre conscience, Monsieur, que vous aurez des
comptes à rendre. Je souhaite pour elle que vous

trouviez bientôt devant vous un autre adversaire qu'une enfant terrorisée.

LE COMMISSAIRE

Quel adversaire ? Vous peut-être ?

MÈRE MARIE

Je ne saurais être l'adversaire de qui que ce soit.

LE COMMISSAIRE

Mais moi, je suis le vôtre.

MÈRE MARIE

Cela ne dépend peut-être pas de vous, car mon devoir et mon goût s'accordent à vous récuser comme tel.

LE COMMISSAIRE

Je sais que je n'aurai pas raison de votre insolence.

MÈRE MARIE

Je me contente de vous retirer l'occasion d'exercer la vôtre. Pour le reste, il devrait vous suffire de penser que je suis entièrement à votre merci.

LE COMMISSAIRE

Vous parlez sur ce ton dans le seul but de vous assujettir une fois de plus un esprit aussi faible que le vôtre est ferme, et même inflexible.

MÈRE MARIE

C'est vrai. Vous ne vous trompez pas.

LE COMMISSAIRE

Aussi longtemps qu'il existera des êtres tels que vous, il n'y aura pas de salut pour les patriotes.

MÈRE MARIE

Nous ne demandons pourtant rien d'autre que de vivre librement, sous la règle que nous avons choisie.

LE COMMISSAIRE

Il n'y a pas de liberté pour les ennemis de la Liberté.

MÈRE MARIE

La nôtre est hors de vos atteintes.

LE COMMISSAIRE

A quoi servirait d'avoir pris la Bastille si la Nation tolérait d'autres bastilles telles que celle-ci, mille fois plus exécrables que l'autre parce que ce n'est pas au despotisme, mais à la superstition et au mensonge qu'y sont sacrifiées chaque jour des victimes innocentes. Oui, cette maison est une bastille, et nous détruirons ce repaire.

MÈRE MARIE

Ne manquez pas de nous détruire aussi jusqu'à la dernière. Où il y a une fille de sainte Thérèse, il y a un Carmel... Venez, Blanche.

Depuis un moment Blanche la regarde avec une espèce d'admiration naïve et de confiance totale, enfantine. Elle la suit comme une ombre.

SCÈNE XII

Chapelle du couvent. L'aumônier, en ornements sacerdotaux, termine sa messe et descend de l'autel. Il s'approche de la grille et demande aux Sœurs d'approcher.

L'AUMÔNIER

Mes chères filles, ce que j'ai à vous dire n'est plus un secret pour certaines d'entre vous, et les autres ne s'en étonneront guère. Je suis relevé de mes fonctions et proscrit. Cette messe que je viens de dire est la dernière.

Le tabernacle est vide. Je répète aujourd'hui le geste, et sans doute aussi les paroles, de nos premiers pères chrétiens, de nos pères dans la Chrétienté, à chaque nouvelle persécution. Dans les affaires de ce monde, vous le savez, lorsque tout espoir de conciliation est perdu, la force est le suprême recours. Mais notre sagesse n'est pas de ce monde. Dans les affaires de Dieu, la suprême ressource c'est le sacrifice des âmes consacrées. En tous temps, Dieu ne cesse de les appeler à lui, mais aujourd'hui on pourrait dire qu'il les appelle par leur nom. Ce jour est un grand jour pour le Carmel. Adieu, je vous bénis. Nous allons chanter ensemble l'adoration de la Croix.

En se retirant il souffle la lampe du sanctuaire et laisse la porte du tabernacle ouverte.

SCÈNE XIII

Parloir. Blanche et l'aumônier de part et d'autre de la grille.

BLANCHE

Qu'allez-vous devenir ?

L'AUMÔNIER

Rien d'autre que ce que je suis à cet instant même, un proscrit.

BLANCHE

Ils disent « hors la loi ».

L'AUMÔNIER

Ma pauvre enfant, un poisson ne saurait vivre hors de l'eau, mais un chrétien peut très bien vivre hors la Loi. Que nous garantissait la Loi ? Nos biens et nos vies. Des biens auxquels nous avions renoncé, une vie qui n'appartient plus qu'à Dieu... Autant dire que la Loi ne nous servait pas à grand-chose.

BLANCHE

Mais si ce qu'on raconte est vrai, ils vous tueront, s'ils vous reconnaissent.

L'AUMÔNIER

Ils ne me reconnaîtront peut-être pas.

BLANCHE

Vous vous déguiserez?

L'AUMÔNIER

Oui. Tels sont les ordres que nous avons reçus. Chère Sœur Blanche, votre imagination s'échauffe toujours trop vite. Les malheureux qui nous menacent ont plus de haine que de ruse, et il se peut très bien que j'en sois quitte pour quelques précautions dont j'aurai vite pris l'habitude, et vous aussi.

BLANCHE

Nous aussi? Vous ne nous quittez pas?

L'AUMÔNIER

Oui, mon enfant. Rassurez-vous. Je resterai près de cette maison, j'y viendrai le plus souvent possible. C'est une chose à mettre au point, et nous allons convenir de tout, Mère Marie de l'Incarnation et moi.

Silence.

BLANCHE

Oh! que doit penser de moi Mère Marie? Je me trouve si indigne de ses bontés.

L'AUMÔNIER

On est toujours indigne de ce qu'on reçoit, mon enfant, car on ne reçoit jamais rien que de Dieu: Restez en paix. Ce n'est pas violer un secret de dire que, depuis la mort de notre Révérende Prieure, la charité de Mère Marie vous a couverte de son ombre — *obumbrabit tibi* — pour parler comme le psaume, vous devez continuer à espérer sous ses ailes — *sub pennis ejus sperabis*. Je sais que Mère Marie a répondu de vous devant Dieu.

SCÈNE XIV

Blanche, en le quittant, court chez Marie de l'Incarnation.

BLANCHE

Oh ! Mère Marie, est-ce vrai, avez-vous vraiment répondu de moi devant Dieu ?

MÈRE MARIE

Comment pouvez-vous parler ainsi ? Chacun répond pour soi, ma fille. Mais il est vrai que Notre Révérende Mère Prieure vous a confiée à moi en mourant.

BLANCHE

Je suis pour vous une charge bien lourde.

MÈRE MARIE

Et bien légère aussi. La charge d'un enfant n'est jamais lourde, mais elle donne beaucoup de souci.

BLANCHE

Il me semble que je ne vous en donnerai plus guère. Je me sens si rassurée auprès de vous, ma Mère !

MÈRE MARIE

Ne vous fiez là-dessus qu'à Dieu, ma petite fille.

SCÈNE XV

*Jardin. Quelques religieuses font la cueillette.
Constance est dans un arbre et mange des fruits.*

SŒUR MATHILDE

L'inquiétude ne vous fait pas perdre l'appétit, Sœur
Constance. Mais avec ça, mon panier ne se remplit
guère.

CONSTANCE

Qu'avons-nous besoin de tant de provisions? Nous
serons peut-être mortes avant que ces fruits ne se soient
gâtés.

SŒUR MATHILDE

Et si nous ne mourions pas du tout. C'est que je n'ai pas
si grande envie de mourir, Sœur Constance!

CONSTANCE

Oh! moi non plus! Mais si nous nous en remettons au
bon Dieu pour savoir si nous mourrons, à quoi bon nous
préoccuper de ce que nous mangerons? Jamais nous ne
trouverons une meilleure occasion d'être un peu gour-
mandes!

SŒUR MATHILDE

Voilà une étrange façon de vous préparer au martyre!

CONSTANCE

Oh! pardon Sœur Mathilde. A la chapelle, au travail, et
dans le grand silence, je peux bien m'y préparer d'une
autre manière. Cette manière-ci est celle de la récréation. Pourquoi ne seraient-elles pas bonnes toutes les
deux? Et d'ailleurs, à la fin du compte, l'office des
martyrs n'est pas de manger, mais d'être mangés.

SCÈNE XVI

Cellule de la Prieure. La Prieure montre à Marie de l'Incarnation le décret qui suspend les vœux des religieuses.
La Prieure est assise. Marie de l'Incarnation, debout, achève de lire le décret.

MÈRE MARIE

Est-il croyable qu'un gouvernement puisse se donner le ridicule de supprimer les vœux ?

LA PRIEURE

Croyable ou non, ce décret doit vous paraître assez clair.

MÈRE MARIE

Votre Révérence est-elle décidée à s'y conformer ?

LA PRIEURE

Oui.

MÈRE MARIE

Alors Sœur Constance et Sœur Blanche ne pourront...

LA PRIEURE

Oui-da.

Silence.

MÈRE MARIE

Votre Révérence a-t-elle songé que Mademoiselle de la Force se trouve ainsi privée d'une consolation et d'un réconfort bien nécessaires ?

LA PRIEURE

J'y ai songé. Je ne puis risquer de sacrifier à Mademoiselle de la Force la sécurité de toutes mes filles.

MÈRE MARIE

Non pas peut-être à Mademoiselle de la Force, mais aux dernières volontés d'une morte, et à l'honneur de la Communauté.

LA PRIEURE

La défaillance de quelqu'une d'entre nous ne serait qu'une épreuve et une humiliation. Mère Marie, je ne veux rien dire de trop, mais vous parlez de l'honneur comme si nous n'avions pas depuis longtemps renoncé à l'estime du monde. Vous savez très bien que c'est dans la honte et l'ignominie de sa Passion que les filles du Carmel suivent leur Maître.

MÈRE MARIE

N'ont-elles pas à l'assister d'abord dans la solitude et la terreur de sa dernière nuit ? Ne serait-ce pas un affreux malheur pour nous toutes de voir faillir celle d'entre nous qui porte précisément le nom de la Très Sainte Agonie ? Dans la bataille c'est aux plus braves que revient l'honneur de porter l'étendard. Il semble que Dieu ait voulu remettre le nôtre entre les mains de la plus faible et peut-être de la plus misérable. N'est-ce pas là comme un signe du Ciel ?

LA PRIEURE

Je crains que ce signe ne soit donné que pour vous. C'est vous, ma fille, qui serez sacrifiée à cette faiblesse et peut-être substituée à ce mépris.

MÈRE MARIE

J'y consentirai de bon cœur.

Long silence.

LA PRIEURE

Voyez-vous, ma Mère, une cérémonie comme celle-là n'est jamais si clandestine qu'il n'en soit su quelque chose, tôt ou tard, dans une ville remplie d'espions. La moindre indiscrétion nous ferait couper le cou.

MÈRE MARIE

Que pourrions-nous désirer de mieux que de mourir ?

Quatrième tableau

SCÈNE I

Chapitre. Toutes les religieuses sont solennellement rassemblées. Avant de lire le décret, la Prieure récite avec ses filles l'hymne de sainte Thérèse d'Avila :

« Je suis vôtre et je suis en ce monde pour vous.
Comment voulez-vous disposer de moi ?
Donnez-moi richesse ou dénuement,
Donnez-moi consolation ou tristesse,
Donnez-moi l'allégresse ou l'affliction,
Douce vie et soleil sans voile ;
Puisque je me suis abandonnée tout entière,
Comment voulez-vous disposer de moi ? »

LA PRIEURE

Je dois vous donner lecture du décret de l'Assemblée qui suspend jusqu'à nouvel ordre les vœux de religion.

« Décret du 28 octobre 1789. L'Assemblée nationale décrète que l'émission des vœux monastiques sera suspendue dans tous les monastères de l'un et l'autre sexe, et que le présent décret sera porté de suite à la sanction royale et envoyé à tous les tribunaux et à tous les monastères. »

Une telle mesure doit contrister chacune d'entre nous, mais elle atteint bien plus cruellement nos Sœurs Constance et Blanche. C'est donc à vous deux que je m'adresserai d'abord, mes chères filles. Je vous invite à faire généreusement le sacrifice du bonheur que vous attendiez. C'est dans le secret du cœur que vous offrirez à Sa Majesté les vœux qu'un ordre cruel vous interdit de prononcer solennellement. Que cet ordre soit injuste, il ne nous appartient pas d'en faire état, nous autres, pauvres servantes, car notre vocation n'est nullement de nous opposer à l'injustice, mais simplement de l'expier, d'en payer la rançon, et comme nous ne possédons rien d'autre que nos misérables personnes, nous sommes nous-mêmes cette rançon. Ne nous opposant pas à l'injustice, nous n'avons pas le droit d'en juger non plus les instruments. Dans notre pensée comme dans notre prière, ceux qui nous persécutent ne sauraient se distinguer des autres pauvres, ou ils ne s'en distinguent que par une pauvreté plus grande, ou pour mieux dire par la plus extrême misère qui soit concevable, puisqu'ils semblent privés de la grâce de Dieu jusqu'au point de se croire les ennemis de Sa Majesté. Cette pauvreté-là ne saurait se soulager avec de bonnes soupes, c'est d'oraisons qu'elle a besoin, et la tradition du Carmel est d'en fournir d'une qualité irréprochable. Voilà qui doit nous tenir dans la modestie. Car en toute conscience des devoirs de ma charge, je dois vous dire que je ne saurais tolérer plus longtemps une certaine exaltation qui — si élevés qu'en soient les motifs — ne nous en distrait pas moins des modestes devoirs de notre état. Il y a là plus d'enfantillages que de malice, je le sais, mais pour en finir avec ces billevesées, rien n'est plus nécessaire que d'en montrer les contradictions, si ce n'est même le ridicule. Hé quoi ! vous prétendez prier pour les pécheurs, c'est-à-dire pour leur conversion ou leur amendement, et vous souhaiteriez en même temps de les voir commettre, sur des personnes consacrées, le plus grave des homicides ? Parlons franc ! Une Carmélite qui souhaite le martyre est aussi mauvaise Carmélite que serait mauvais soldat le militaire qui chercherait la mort avant d'avoir exécuté les ordres de son chef. Mais trêve de proverbes et de comparaisons. Ma volonté bien réfléchie est que cette communauté continue de vivre aussi simplement que par le passé. Les couvents ont été épargnés jusqu'à présent, rien ne prouve qu'ils ne le soient pas à l'avenir. Au surplus, quoi qu'il arrive, ne comptons jamais que sur cette espèce de courage que Dieu dispense au jour le jour, et comme sou par sou. C'est ce courage-là qui nous convient, qui s'accorde le mieux à l'humilité de notre état. Encore est-ce peut-être trop de présomption que de le Lui demander. Mieux vaut Le prier humblement pour que la peur ne nous éprouve pas au-delà de nos forces, que nous n'en sentions que l'humiliation sans qu'elle nous puisse pourtant pousser à quelque action blâmable. Lorsqu'on les considère de ce jardin de Gethsémani où fut divinisée, en le Cœur Adorable du Seigneur, toute l'angoisse humaine, la distinction entre la peur et le courage ne me paraît pas loin d'être superflue et ils nous apparaissent l'un et l'autre comme des colifichets de luxe.

SCÈNE II

La Communauté se disperse. Un groupe va au jardin où Blanche rejoint Marie de l'Incarnation.

BLANCHE

Mère Marie, est-il possible que Sa Révérence nous refuse, en un tel moment, la consolation de prononcer nos vœux secrètement ? Nous savons bien que s'il ne dépendait que de vous...

MÈRE MARIE

Je n'ai, moi aussi, qu'à obéir.

BLANCHE

Mais Sa Révérence fait si grand cas de votre jugement...

MÈRE MARIE

Mon devoir est de faire beaucoup plus de cas de son jugement que du mien.

BLANCHE

Mais notre prise de voile...

MÈRE MARIE

A ce moment-là nous n'étions que sous la menace d'une loi imminente. Nous sommes aujourd'hui sous le coup d'une loi en vigueur, et Sa Révérence a parfaitement raison de ne pas vouloir éveiller sans nécessité la colère de nos adversaires.

BLANCHE

Est-ce vous, Mère Marie, qui tenez ce langage ? En sommes-nous venues à ce degré d'infortune que notre seul espoir soit de passer inaperçues, ainsi qu'un lièvre au gîte ?

SCÈNE III

On entend chanter la Carmagnole sous les murs du couvent ; et les commissaires, suivis de la foule qui continue à chanter, font irruption dans l'enceinte. Ils enfoncent la porte de clôture. Précédés d'une Sœur sonnant la clochette, ils envahissent la sacristie, entassent les ornements et les vases sacrés dans le tour qu'ils ont arraché, et recouvrent le tout du voile de la grille. Ils dépouillent le Petit Roi de Gloire de son manteau et de sa couronne et le jettent dans un coin. Pendant que la Prieure assiste au pillage, la Communauté est groupée au chapitre et prie, sous la direction de Marie de l'Incarnation. Elles ont toutes le grand voile.

MÈRE MARIE

Allons ! Allons ! mes filles, soyez calmes. Pour l'instant il n'est d'autre prière possible que celle-là. Demeurez bien unies à Dieu.

Quand la porte s'ouvre devant la Prieure, elles restent immobiles. Une seule tête se tourne effrayée, celle de Blanche.

LA PRIEURE

Silence ! Je ne supporterai pas que ma maison ressemble à une fourmilière sur laquelle on a mis le pied.

Silence.

De tout ce qui attriste aujourd'hui vos âmes, ne déplorez que le sacrilège, et priez pour ceux qui le commettent. Quant à l'or ou à l'argent qu'on dérobe, qu'importe ! Notre condition première n'est-elle pas la pauvreté ? Si pauvres que nous soyons désormais, nous n'imiterons encore que de loin notre Maître, nous ne sommes pas encore aussi pauvres que Lui.

Le mouvement se calme peu à peu.

Allons ! Allons ! Ce n'est pas la première fois qu'on dépouille les églises et les couvents, cela s'est vu bien des fois au cours des guerres.

SCÈNE IV

Cellule de Mère Jeanne de l'Enfance de Jésus, une très vieille religieuse. Dehors, la neige tombe. Mère Jeanne achève de coudre une robe, très pauvre, pour le Petit Roi de Gloire. Blanche l'aide à en revêtir la statue.

MÈRE JEANNE

Ma petite Sœur Blanche, vous savez que, la nuit de Noël, on porte notre Petit Roi dans chaque cellule. J'espère qu'il vous donnera du courage.

SCÈNE V

Nuit de Noël. Le couloir du Carmel, toutes les portes des cellules ouvertes. La Prieure et Mère Marie de l'Incarnation, accompagnées de deux Sœurs portant des flambeaux, présentent le Petit Roi de Gloire de cellule en cellule. Chaque religieuse s'agenouille pour recevoir la statue, vêtue de la pauvre robe, la dépose à terre, la vénère, puis la rend à la Prieure qui s'agenouille à son tour.

SŒUR ANNE

Voici notre Petit Roi redevenu aussi pauvre qu'à Bethléem.

Lorsqu'on présente le Petit Roi à Blanche, elle sursaute et murmure, les larmes aux yeux :

SŒUR BLANCHE

Oh ! qu'il est petit ! qu'il est faible !

MÈRE MARIE

Non ! qu'il est petit ! et qu'il est puissant !

A l'instant où Blanche, agenouillée, se penche vers la statue, le chant de la Carmagnole retentit sous les murs du couvent. Blanche tressaille, laisse échapper le Petit Roi de Gloire dont la tête se brise sur les dalles. Terrifiée, avec l'expression d'une stigmatisée, Blanche s'écrie :

SŒUR BLANCHE

Oh ! le Petit Roi est mort. Il ne nous reste plus que l'Agneau de Dieu.

SCÈNE VI

Cellule de la Prieure. Blanche vient d'entrer.

LA PRIEURE

Ma fille, mettez-vous d'abord à genoux et récitons ensemble la prière de notre Mère Sainte Thérèse.

La Prieure dit chaque phrase de la prière, que Blanche répète aussitôt.

LA PRIEURE, *puis* BLANCHE

Je suis vôtre et je suis en ce monde pour vous ;
Comment voulez-vous disposer de moi ?
Donnez-moi richesse ou dénuement,
Donnez-moi consolation ou tristesse,
Donnez-moi la joie ou l'affliction,
Douce vie et soleil sans voile ;

LA PRIEURE

Puisque je me suis abandonnée tout entière,
Comment voulez-vous disposer de moi ?

Mais Blanche change la fin de l'oraison :

BLANCHE

Donnez-moi refuge ou angoisse mortelle,
Comment voulez-vous disposer de moi ?

*La Prieure la regarde, hésite un instant, et finalement
feint de n'avoir rien remarqué. Elles se relèvent. La
Prieure s'assoit. Silence, puis :*

LA PRIEURE

Je suppose que vous savez pourquoi je vous ai fait
appeler ?

Silence. Blanche baisse la tête sans répondre.

La séparation ne sera pas moins dure pour la mère que
pour l'enfant.

Silence.

Je ne voudrais rien faire que d'accord avec vous, ma fille,
ou du moins d'accord avec votre conscience. Je ne vous
demande pas de répondre à ce que je vais dire, ou cette
réponse, vous ne la ferez qu'à Dieu, tout à l'heure, dans
le recueillement de la prière. Ma fille, ni vous ni moi
n'espérons plus que vous arriverez à surmonter votre
angoisse mortelle…

Silence.

Sans doute, en d'autres temps… ou plus tard… peut-
être…

Silence. Blanche fixe la Prieure avec détresse, d'un regard presque égaré. On comprend très bien que la Prieure subit la contagion de cette angoisse, bien que son visage la trahisse à peine. Cependant sa voix tremble un peu quand elle dit :

Pensez-vous réellement que nous vous fassions tort en vous renvoyant dans le monde ?

Blanche se tait un moment encore. Puis elle fait un immense effort pour répondre :

BLANCHE

Je... C'est vrai que je n'espère plus surmonter ma nature. Non... je ne l'espère plus... Oh ! ma Mère, partout ailleurs je traînerai mon opprobre ainsi qu'un forçat son boulet. Cette maison est bien le seul lieu au monde où je puisse espérer l'offrir à Sa Majesté, comme un infirme ses plaies honteuses. Car enfin, ma Mère, Dieu m'a peut-être voulue lâche, comme il en a voulu d'autres bonnes ou stupides...

Elle éclate en sanglots.

LA PRIEURE

Calmez-vous. Je réfléchirai encore à tout ceci.

Blanche s'agenouille et baise la main de la Prieure qui la bénit.

SCÈNE VII

Cérémonie clandestine du Vendredi Saint, dans un local dépendant du couvent où sont réunis quelques fidèles. C'est la nuit, des hommes font le guet. Femmes et enfants. Les religieuses arrivent sans bruit, l'une d'elles prépare les ornements, le prêtre n'est pas encore là.
Au-dehors un ou deux cris de signal... Le prêtre arrive, des enfants lui baisent les mains.

L'AUMÔNIER

Quand je vous ai quittées pour la première fois, j'espérais vous revoir souvent. Mais les circonstances ont été bien loin d'être celles que j'avais prévues. Je peux dire qu'elles rendent chaque jour mon ministère plus difficile. Désormais chacune de nos réunions se fera selon le bon plaisir de Dieu, nous devrons l'en remercier comme d'un miracle. Que voulez-vous ! En des temps moins sombres, l'hommage à Sa Majesté prend aisément le caractère d'un simple cérémonial, trop semblable à celui qu'on observe en l'honneur des Rois de ce monde. Je ne dis pas que Dieu n'agrée pas ces sortes d'hommages, bien que l'esprit qui les inspire soit plutôt de l'Ancien Testament que du Nouveau. Mais il arrive qu'Il s'en lasse, pardonnez-moi cette expression. Le Seigneur a vécu et vit toujours parmi nous comme un pauvre, le moment vient toujours où Il décide de nous faire pauvres comme Lui, afin d'être reçu et honoré par les pauvres, à la manière des pauvres, de retrouver ainsi ce qu'Il a connu jadis tant de fois sur les routes de Galilée, l'hospitalité des misérables, leur simple accueil. Il a voulu vivre parmi les pauvres, Il a aussi voulu mourir avec eux. Car ce n'est pas comme un Comte à la tête des hommes de sa ménie qu'Il a marché vers la mort, c'est-à-dire vers Jérusalem, le lieu de Son sacrifice, dans ces sinistres jours qui précédèrent la Pâque. C'était parmi de pauvres gens qui, bien loin de songer à défier personne, se faisaient tout petits, afin de passer inaperçus le plus longtemps possible... Faisons-nous donc aussi maintenant tout petits, non pas, comme eux, pour échapper à la mort, mais pour la souffrir, le cas échéant, comme Il l'a soufferte Lui-même, car Il fut vraiment, selon le mot de la Sainte Écriture, l'agneau qu'on mène au boucher.

Nous allons procéder maintenant à l'adoration de la Croix.

Le prêtre s'en va, après avoir promis aux religieuses de revenir le jour de Pâques.

SCÈNE VIII

Matin de Pâques. On attend le prêtre.

LA PRIEURE

Ce n'était pas Monsieur l'Aumônier ?

MÈRE MARIE

Non, ma Mère, et il se fait maintenant si tard que je pense qu'il ne viendra plus.

LA PRIEURE

A-t-on surveillé la ruelle ? Souvenez-vous qu'il a déjà voulu rentrer une fois par la porte du lavoir, mais elle était fermée au verrou.

SŒUR GERTRUDE

Sœur Antoine y est de garde depuis l'aube.

SŒUR ANNE

Il paraît qu'ils sont venus chercher hier soir notre vieux boulanger Thibaut, pour le conduire à la Municipalité.

SŒUR MARTHE

C'est son concurrent Servat qui l'a dénoncé.

LA PRIEURE *(toujours calme)*

Je sais, je sais... Mais depuis vendredi soir, Monsieur l'Aumônier a changé de cachette.

SŒUR CONSTANCE

Est-il croyable qu'on laisse ainsi traquer les prêtres dans un pays chrétien ? Les Français sont-ils maintenant si lâches ?

SŒUR MATHILDE

Ils ont peur. Tout le monde a peur. Ils se donnent la peur les uns aux autres, comme en temps d'épidémie la peste ou le choléra.

SŒUR VALENTINE

Quelle honte !

BLANCHE

(comme malgré elle, d'une voix presque sans timbre, du genre de celles qu'on entend dans les rêves)

La peur est peut-être, en effet, une maladie.

Un léger murmure, puis silence. Blanche paraît se réveiller, cherche à droite et à gauche des regards qui se dérobent, marquant d'ailleurs plus d'embarras que de réprobation.

MÈRE MARIE

On n'a pas peur, on s'imagine avoir peur. La peur est une fantasmagorie du démon.

BLANCHE *(de la même voix étrange)*

Mais le courage ?

MÈRE MARIE

Le courage peut bien être aussi une fantasmagorie du démon. Une autre. Chacun de nous risque ainsi de se débattre avec son courage ou sa peur comme un fou qui joue avec son ombre. Une seule chose importe, c'est que, braves ou lâches, nous nous trouvions toujours là où Dieu nous veut, nous fiant à Lui pour le reste. Oui, il n'est d'autre remède à la peur que de se jeter à corps perdu dans la volonté de Dieu, ainsi qu'un cerf poursuivi par les chiens, dans l'eau fraîche et noire.

SŒUR CONSTANCE

Mais le cerf aux abois finit par se retourner contre les chiens ? N'y aura-t-il pas de bons Français pour prendre la défense de nos prêtres ?

LA PRIEURE

Cela ne nous regarde pas.

MÈRE MARIE

(s'adressant aux autres religieuses)

Sa Révérence ne veut pas dire pour autant qu'il nous est interdit de le souhaiter.

SŒUR ALICE

A quoi pourrons-nous bien servir le jour où faute de prêtres notre peuple sera privé de sacrements ?

LA PRIEURE

Quand les prêtres manquent, les martyrs surabondent et l'équilibre de la grâce se trouve ainsi rétabli.

Silence. On voit que Mère Marie va parler mais elle hésite encore. Quelques religieuses ont d'abord tourné la tête vers elle. A la fin toutes la fixent, sauf Constance et Blanche. Blanche garde les yeux baissés, avec une expression d'affreuse tristesse. Constance la regarde avec une espèce de curiosité ardente.

MÈRE MARIE

(tout à coup d'une voix basse et martelée où l'on sent toute la passion contenue)

Il me semble que l'Esprit-Saint vient de parler par la bouche de Sa Révérence.

Mouvement général. Silence. La Prieure garde un visage impassible, mais on sent que sa volonté est tendue. Atmosphère de drame qui laisse entrevoir le profond dissentiment de ces deux femmes.

MÈRE MARIE *(de la même voix martelée)*

Au régime impie qui prétend suspendre les vœux, je pense que la Communauté tout entière devrait répondre en prononçant solennellement le vœu du martyre.

*Mouvement général, bien que contenu, d'assenti-
ment. Deux ou trois vieilles religieuses baissent la
tête. Blanche relève lentement la sienne et regarde
avidement Mère Marie de l'Incarnation.*

MÈRE MARIE

Pour que la France ait encore des prêtres, les filles du
Carmel n'ont plus à donner que leur vie.

LA PRIEURE

(froidement, après un assez long silence)

Vous m'avez mal entendue, ma Mère, ou du moins vous
m'avez mal comprise. Ce n'est pas à nous de décider si
nous aurons ou non, plus tard, nos pauvres noms dans le
bréviaire. Je prétends bien n'être jamais de ces convives,
dont parle l'Évangile, qui prennent la première place et
risquent d'être envoyés à la dernière par le Maître du
festin.

*Silence respectueux de la part de Mère Marie. Certains
visages de jeunes Sœurs expriment la déception, et
quelques-uns même le dépit.*

LA PRIEURE

Voyons... Voyons... le nom de martyre est vite dit. Mais
s'il nous arrive malheur...

MÈRE MARIE *(comme malgré elle)*

Votre Révérence ne saurait appeler malheur...

LA PRIEURE

Je donne au mot son sens ordinaire, je parle le langage
de tout le monde. Il y a de grands saints qui ont goûté la
mort, d'autres l'ont détestée, et quelques-uns même l'ont
fuie. Par ma cornette ! Lorsque nous aurons nommé
bonheur ce que le commun des hommes appelle malheur, en serons-nous bien avancées ? Désirer la mort en
bonne santé, c'est se remplir l'âme de vent, comme un
fou qui croit se nourrir à la fumée du rôti.

*Elle observe un moment ses religieuses, particulière-
ment les jeunes, par-dessus ses lunettes. Toutes ont*

*baissé la tête. Le regard et la voix de la Prieure
s'adoucissent singulièrement.*

J'avais besoin de vous remettre un peu d'aplomb, mes
filles. Vous ne teniez plus au sol, vous deveniez si légères
qu'un coup de vent dans vos jupes aurait suffi pour vous
élever au ciel et vous perdre dans les nuages, comme le
ballon de Monsieur Pilâtre... Et j'ai bien besoin de mes
filles ! Que serais-je sans mes filles ? Une vieille femme
un peu terre à terre, un peu radoteuse, telle que vous
venez de l'entendre...

Un silence. L'atmosphère se détend.

Mère Marie, Dieu m'est témoin que je n'ai pas parlé
pour vous. Et l'occasion ne sera jamais meilleure de dire,
ici, ce que je pense : vous méritiez cette charge mille fois
mieux que moi, mais tant que je l'assumerai, j'agirai
selon ma jugeote et ma nature, car je crois que la
Providence a eu ses raisons de donner à la Communauté,
en des circonstances si graves, une supérieure aussi
simple et aussi médiocre que moi.

MÈRE MARIE

Votre Révérence sait que rien ne m'est plus doux que de
conformer mon jugement au sien.

LA PRIEURE

Si vous étiez à ma place, ce serait aussi un grand bonheur
pour moi de prononcer ce vœu du martyre, et de le
prononcer entre vos mains...

MÈRE MARIE

Votre Révérence peut croire que la Communauté tout
entière...

LA PRIEURE

Il n'y a pas de « Communauté tout entière ». Une
Communauté a toujours son fort et son faible, le fort et
le faible sont aussi nécessaires l'un que l'autre. C'est par
égard à ces éléments faibles que je ne puis donner
l'autorisation que vous demandez.

Deux ou trois religieuses se sont instinctivement tournées vers Blanche, et se détournent aussitôt. La tête de Blanche s'incline imperceptiblement de plus en plus, mais elle n'a pas l'air de s'en rendre compte. Constance est très pâle et prononce quelques mots.

LA PRIEURE *(avec une grande douceur)*

Que dites-vous, Sœur Constance ? Je vous donne volontiers la parole. Quand les sages sont au bout de leur sagesse, il convient d'écouter les enfants.

SŒUR CONSTANCE

Est-ce un ordre de Votre Révérence ?

LA PRIEURE

Hé bien oui !

SŒUR CONSTANCE

Je voudrais demander pardon à la Communauté d'être parmi ces faibles dont Votre Révérence vient de parler.

LA PRIEURE

En êtes-vous si sûre ?

SŒUR CONSTANCE

Avec la permission de Votre Révérence...

Pendant ce dialogue, Blanche a relevé peu à peu la tête. Au moment où Sœur Constance recommence de parler, son regard rencontre celui de Mademoiselle de la Force. Sœur Constance hésite un moment à continuer. On doit sentir que la compassion qu'elle éprouve pour son amie ne saurait pourtant la convaincre de mentir ; elle s'en tire par une équivoque dont sa première conversation avec Blanche, au début du film, donne le sens. Elle est de plus en plus pâle, mais résolue :

Avec la permission de Votre Révérence. C'est vrai que je ne suis pas absolument sûre d'avoir peur de mourir, mais j'aime tant la vie ! Au fond, n'est-ce pas la même chose ?

SŒUR ANNE

Sœur Constance ne pense pas un mot de ce qu'elle dit…

SŒUR GERTRUDE

Vous nous scandalisez, Sœur Constance !

SŒUR CONSTANCE *(sans réfléchir)*

Je m'en moque…

Elle se reprend, un flot de sang monte à ses joues.

Je vous demande pardon, ma Sœur. Je voulais dire qu'en parlant comme je viens de faire, je m'étais d'avance résignée à être un peu méprisée, voilà tout.

LA PRIEURE

Personne, ici, ne songe à vous mépriser, Sœur Constance, et vous nous édifieriez plutôt.

Un silence. Puis avec un sourire d'entente, presque de complicité.

Mais il ne faut pas plus courir après le mépris qu'après le martyre. Chaque chose vient en son temps.

SCÈNE IX

Ouvroir. Quelques religieuses travaillent à la couture. Elles commentent le sermon de l'aumônier.

SŒUR VALENTINE

Je n'ai jamais entendu sermon pareil !

SŒUR ALICE

C'est aussi peut-être que vous n'avez jamais entendu prêcher la Passion par un prêtre lui-même en péril de mort.

SŒUR CLAIRE

La mort… Il est difficile de se représenter face à la mort le Maître de la Vie et de la Mort.

SŒUR MARTHE

Au jardin des Oliviers, le Christ n'était plus maître de rien. L'angoisse humaine n'était jamais montée plus haut, elle n'atteindra plus jamais ce niveau. Elle avait tout recouvert en Lui, sauf cette extrême pointe de l'âme où s'est consommée la divine acceptation.

SŒUR CLAIRE

Il a eu peur de la mort. Tant de martyrs n'ont pas eu peur de la mort...

SŒUR GÉRALD

Il n'y a pas que les martyrs, des brigands aussi, Sœur Claire. Ainsi Cartouche plaisantait au moment d'être roué, à ce qu'on dit.

SŒUR SAINT-CHARLES

Oh! bien sûr. Sa Révérence a raison. Il en est de l'héroïsme des martyrs et de l'autre, comme de l'or et du cuivre. L'un est précieux, l'autre vil, mais ce sont tout de même deux métaux.

SŒUR CLAIRE

Les martyrs étaient soutenus par le Christ, mais le Christ n'avait l'aide de personne, car tout secours et toute miséricorde procèdent de Lui. Nul être vivant n'entra dans la mort aussi seul et aussi désarmé.

SŒUR MATHILDE

Le plus innocent est encore un pécheur, et il sent confusément qu'il mérite la mort comme tel. Le plus criminel ne répond que de ses crimes, et Lui...

SŒUR CATHERINE

Le plus innocent et le plus criminel, n'ayant commis aucune faute et répondant de toutes, dévoré par la Justice et l'injustice à la fois, comme par deux bêtes enragées...

SŒUR GERTRUDE

Oh! Sœur Catherine, vous me glacez le sang...

SŒUR CATHERINE

Et vous, Sœur Gertrude, comment passeriez-vous votre dernière nuit de condamnée ?

SŒUR GERTRUDE

Mon Dieu, il me semble que l'occasion me paraîtrait si belle que ma crainte de la manquer l'emporterait sur la peur.

SŒUR ANNE

Et moi, je voudrais bien monter à l'échafaud la première. J'irais très vite jusqu'à la machine, sans regarder ni à droite ni à gauche, comme je faisais chez nous sur la grande échelle, pour ne pas avoir le vertige.

SŒUR GERTRUDE

Et qu'est-ce que vous diriez à ce moment-là, vous, Sœur Constance ?

SŒUR CONSTANCE

Moi ? Oh ! rien du tout !

SŒUR GERTRUDE

Quoi, pas même une prière ?

SŒUR CONSTANCE

Je ne sais pas. Mon bon Ange la dira pour moi. J'aurai bien assez de mourir *(avec un regard rapide, en dessous, vers Sœur Blanche)*. Et puis quoi, n'êtes-vous pas honteuses de vous monter ainsi la tête ?

SŒUR GERTRUDE

Mon Dieu, ce n'est pas un crime ! Mieux vaut passer le temps à caqueter qu'à soupirer.

SŒUR VALENTINE

Et vous, Sœur Blanche ?

En entendant son nom, Blanche semble se réveiller en sursaut. Le linge et les ciseaux qu'elle tenait sur ses genoux tombent par terre. Elle les ramasse et se tait.

SŒUR FÉLICITÉ

Hé quoi, Sœur Blanche, qu'est-ce qui vous prend ?

SŒUR CLAIRE

Laissez donc tranquille Blanche de la Force. Ne voyez-vous pas qu'elle somnolait ?

SŒUR FÉLICITÉ

Blanche de la Force... Sans méchanceté, Sœur Blanche, on devrait plutôt vous appeler Blanche de la Faiblesse... Voyons, dites-nous ce que vous penseriez si on vous conduisait en prison.

Blanche essaie de raffermir sa voix sans y parvenir.

BLANCHE

En prison... Hé bien, Sœur Félicité, je... je...

SŒUR FÉLICITÉ

Allons, dites !

BLANCHE *(d'un ton puéril)*

Mon Dieu... Hé bien, j'aurais peur d'être toute seule, d'être sans notre Mère.

Sourires. Les têtes se détournent par charité. Sœur Constance tient les yeux fixés à terre, mais on sent qu'elle lutte contre la colère. Une religieuse paraît brusquement.

SŒUR ANTOINE

Mes Sœurs, notre Mère vient vous faire ses adieux.

La Prieure, appelée à Paris par ses supérieurs, entre, en civil.

SCÈNE X

Jardin du couvent. Récréation. Atmosphère comme à l'ordinaire très joyeuse.

SŒUR GERTRUDE

La récréation dure aujourd'hui plus que d'habitude.

SŒUR CATHERINE

Pas du tout. Nous avons encore vingt bonnes minutes, Sœur Gertrude.

SŒUR SAINT-CHARLES

Depuis que Sa Révérence est partie, nous ne nous sommes jamais tant amusées. Que penserait-elle de nous !

SŒUR MARTHE

N'est-ce pas Sa Révérence elle-même qui nous a recommandé d'être joyeuses et insouciantes, aussi longtemps que Dieu nous donnera ce répit ?

SŒUR ANNE

Du répit ! Autant parler du répit à un homme suspendu par un fil à cent pieds au-dessus de la place de la Cathédrale !

SŒUR CONSTANCE *(en riant)*

Mais nous, ma Sœur, nous ne pouvons tomber qu'en Dieu !

SŒUR ANNE

Oh ! Sœur Constance, que voilà donc une parole édifiante ! Pourquoi la dites-vous donc en riant ?

SŒUR CONSTANCE

Parce que cela me fait plaisir à penser.

SŒUR ANNE

Bast ! Lorsque notre Mère est venue nous dire adieu, n'avez-vous pas ri aussi ?

SŒUR CONSTANCE

C'est Sœur Alice qui me poussait du coude dans l'estomac. Mais j'aurais ri quand même. Je riais de voir notre Mère en si bel équipage.

SŒUR GERTRUDE

N'aviez-vous pas honte ?

SŒUR CONSTANCE

Et pourquoi aurais-je eu honte ? Je trouvais tellement risible que les méchants ne puissent rien contre les pauvres servantes de Dieu que de les contraindre à se déguiser comme au Carnaval.

SŒUR VALENTINE

Ils n'en resteront pas là.

SŒUR CONSTANCE

Et après ? Que feront-ils de plus que Néron ou Tibère ? Le déguisement des déguisements n'est-il pas la mort ignominieuse du Seigneur ? Ils ont déguisé en esclave et cloué au bois comme un esclave le Maître de la Création ; la Terre et l'Enfer ensemble n'ont pas su aller au-delà de cette monstrueuse et sacrilège polissonnerie. Donner des hommes en pâture aux bêtes, ou les transformer en torches, cela ne donne-t-il pas l'idée d'une farce horrible ? Oh ! sans doute, la souffrance et la mort nous étonnent toujours, mais au regard des Anges que peuvent bien signifier ces horribles singeries ? Nul doute qu'ils en riraient, si les Anges pouvaient rire...

SŒUR GERTRUDE

Sœur Constance se défend très bien...

SŒUR VALENTINE

Oh ! vous, Sœur Gertrude, vous restez bouche bée à tout ce qu'elle dit.

> *On se tourne vers Sœur Gertrude. Éclat de rire*
> *général. Elle est en effet bouche bée, la tête inclinée*
> *sur l'épaule gauche, les yeux demi-fermés, comme*
> *une personne qui écoute très attentivement. Le brou-*
> *haha des voix et des rires continue un moment puis*
> *s'apaise par degrés. Silence. On entend le bruit d'une*
> *cloche, bien loin. Puis une autre plus près. Une autre*
> *encore. Les religieuses se regardent.*

SŒUR MATHILDE

Le tocsin !

SŒUR ALICE

Le canon !

SŒUR ANNE

Comment le canon ? Pourquoi le canon ? Ce doit être le bourdon de la chapelle Sainte-Maxime.

SŒUR ALICE

Pas possible, Sœur Anne ! Le son vient de là...

On entend maintenant très bien le canon. Sonnerie de trompettes. Bruit d'une foule en marche. Le Ça ira... *Airs de fête.*

SŒUR CLAIRE *(étourdiment)*

Cela me rappelle la Fête-Dieu, jadis.

SŒUR SAINT-CHARLES

Oh ! taisez-vous ! taisez-vous !

Elle défaille. On entend un rire nerveux. La sonnerie de trompettes couvre maintenant tous les bruits. Mais il y a entre chaque sonnerie un court instant de silence. C'est dans un de ces moments de silence que retentit la petite clochette du tour.

SŒUR MATHILDE

On a tiré la clochette !

SŒUR CLAIRE

Il faut tout de suite regarder à la porte du lavoir.

Sœur Anne se précipite.

SŒUR CLAIRE

Attention, Sœur Anne ! ne retirez la chaîne qu'à la dernière minute !

Presque aussitôt l'aumônier entre en coup de vent. On l'entoure. Une religieuse se tient à quelques pas,

et surveille la grande porte. Piétinements d'une foule
en marche.

L'AUMÔNIER

J'ai failli me trouver pris entre la foule et une patrouille.
Je n'avais d'autre ressource que rentrer ici.

SŒUR CLAIRE

Restez avec nous, mon Père.

L'AUMÔNIER

Je ne saurais que vous compromettre. Il faut que je
parte. Lorsque le cortège sera rassemblé sur la place de
la Municipalité, les rues seront libres.

SŒUR CONSTANCE

Mais n'y aura-t-il jamais d'autre remède que fuir ou se
cacher ?

L'AUMÔNIER

Dans les grands troubles comme celui-ci le pire risque
n'est pas d'être criminel mais innocent, ou seulement
suspect de l'être. L'innocent va payer bientôt pour tout
le monde !

SŒUR CATHERINE

Oh ! mon Père, quittez ce pays !

L'AUMÔNIER

J'attendrai de savoir là-dessus le bon plaisir de Dieu. En
demeurant où il m'a mis, je puis commettre une sottise,
non une faute.

SŒUR CLAIRE

Que va devenir Sa Révérence ?

L'AUMÔNIER

Je l'ignore. Je crains qu'elle ne puisse revenir parmi
nous.

Les trompettes sonnent toujours. Mais on comprend
qu'elles ne bougent plus.

SŒUR MATHILDE

Je crois qu'il n'y a plus personne dans la rue, mais on dirait qu'un autre cortège se forme du côté de la cathédrale. N'est-ce pas vrai, Sœur Anne ?

SŒUR ANNE

Oui, le vieux jardinier vient de venir prendre ses hardes. Il dit que la ville est pleine d'étrangers qui vont camper cette nuit sur les places. On vend du vin à tous les carrefours.

SŒUR FÉLICITÉ

Écoutez ! Écoutez !

Le tocsin qui a cessé de sonner un moment reprend de plus belle. On entend maintenant des coups de fusil.

SŒUR VALENTINE

Mon Dieu ! voilà seulement un quart d'heure nous étions si rassurées, si tranquilles...

SŒUR MARTHE

Bah ! Sœur Valentine, depuis ce matin on entendait beaucoup de bruit en ville.

SŒUR VALENTINE

Pas plus que d'habitude. Voilà tant de jours que la ville est comme folle ! Hier encore n'ont-ils pas dansé toute la nuit au bord de l'eau ? Nous entendions d'ici les crin-crins. Et tout à coup les coups de fusil qui faisaient penser aux pétards de la Saint-Jean.

SŒUR MARTHE

C'est vrai qu'on finit par ne plus prendre garde à rien...

SŒUR FÉLICITÉ

Écoutez ! Écoutez ! les voilà de nouveau.

L'AUMÔNIER

J'ai peut-être trop attendu. N'importe !

SŒUR CLAIRE

Ne partez pas sans nous bénir.

L'AUMÔNIER

Je voudrais prendre congé de Mère Marie de l'Incarnation.

SŒUR ANNE

Après le repas, notre Mère Marie de l'Incarnation s'est retirée dans sa cellule, comme d'habitude.

SŒUR CLAIRE

Allez la chercher, Sœur Saint-Charles.

L'AUMÔNIER

Non ! Mieux vaut ne pas perdre de temps. Que deviendriez-vous, mes filles, s'ils me prenaient chez vous ?

Il fait le geste de bénir. Elles s'agenouillent. Il les bénit et disparaît. Presque aussitôt le bruit redouble dans la rue principale. On croirait qu'elle s'est remplie brusquement d'une foule immense.
L'aumônier a escaladé le mur du jardin voisin. Il y a là une cabane où l'on range les outils. Le Père y restera caché jusqu'au soir.

SCÈNE XI

Le bruit grandit sans cesse, au point que pour se faire entendre, les Sœurs doivent se crier à l'oreille. Les coups commencent à pleuvoir sur la porte.

QUELQUES VOIX AFFOLÉES

N'ouvrez pas ! N'ouvrez pas !

Le premier mouvement des religieuses est de courir çà et là dans le petit jardin. Mais on les voit ralentir peu à peu leur marche, l'une après l'autre, comme honteuses. Enfin, elles se rassemblent au pied de la statue de la Vierge. On s'explique pourquoi lorsqu'on découvre à la porte de la chapelle, au haut du petit perron, la silhouette de Mère Marie de l'Incarnation. Une planche de la porte vient de céder, avec un craquement sinistre. Mère Marie de l'Incarnation fait signe à Sœur Constance et détache de son trousseau, pour la lui remettre, la clef du portail.

MÈRE MARIE

Allez ouvrir, ma petite fille.

On devine plutôt ces paroles au mouvement des lèvres. Le bruit est maintenant tout à fait assourdissant. La porte est défoncée. Mère Marie de l'Incarnation s'avance, sans hâte, ni trop vite ni trop lentement. Deux ou trois révolutionnaires passent par la brèche, mais ils doivent se livrer à une espèce d'acrobatie qui les rend ridicules, et ils se tiennent un moment, assez embarrassés, devant les religieuses immobiles. Mère Marie prend doucement la clef des mains de Constance, et elle la tend à l'un des trois. Ouverture de la porte. Brusque irruption de la foule. Mère Marie de l'Incarnation n'a pas fait un geste pour la contenir, et pourtant la plupart des envahisseurs repassent le seuil. On voit, sur le visage très pâle de Sœur Constance, une sorte de sourire à peine perceptible.

UN COMMISSAIRE

Où sont les religieuses ?

MÈRE MARIE

Vous les voyez là-bas.

LE COMMISSAIRE

Notre devoir est de leur donner connaissance du décret d'expulsion.

MÈRE MARIE

Cela ne dépend que de vous.

Lecture du décret.
« *Ainsi qu'en a décidé l'Assemblée législative, sié-geant le 17 août 1792 :*
« *Pour le premier octobre prochain, toutes les mai-sons encore actuellement occupées par des religieuses ou par des religieux seront évacuées par lesdits religieux et religieuses et seront mises en vente à la diligence des corps administratifs.* »

LE COMMISSAIRE

Avez-vous une réclamation à formuler ?

MÈRE MARIE

Que pourrions-nous réclamer, puisque nous ne dispo-sons déjà plus de rien ? Mais il est indispensable que nous nous procurions des vêtements, puisque vous nous interdisez de porter ceux-là.

LE COMMISSAIRE

Soit !

Se forçant pour être goguenard, car la grande simplicité d'accent de Mère Marie lui en impose :

Êtes-vous donc si pressées de quitter ces défroques, et de vous habiller comme tout le monde ?

MÈRE MARIE

Je vous répondrais bien que ce n'est pas l'uniforme qui fait le soldat. Mais nous n'avons pas d'uniforme. Sous n'importe quel habit nous ne serons jamais que des servantes.

LE COMMISSAIRE

Le peuple n'a pas besoin de servantes.

MÈRE MARIE

Mais il a grand besoin de martyrs, et c'est là un service que nous pouvons assumer.

LE COMMISSAIRE

Peuh ! En des temps comme celui-ci, mourir n'est rien.

MÈRE MARIE

Vivre n'est rien, c'est cela que vous voulez dire. Car il n'est plus que la mort qui compte lorsque la vie est dévaluée jusqu'au ridicule, elle n'a pas plus de prix que vos assignats.

LE COMMISSAIRE

Ces paroles-là pourraient vous coûter cher si vous les disiez devant un autre que moi. Me prenez-vous pour un de ces buveurs de sang ? J'étais sacristain à la paroisse de Chelles, le seigneur vicaire était mon frère de lait. Mais il faut bien que je hurle avec les loups !

Un silence.

MÈRE MARIE

Excusez-moi si je vous demande des preuves de votre bon vouloir.

LE COMMISSAIRE

Votre prêtre est caché dans le séchoir, je le sais.

MÈRE MARIE

Je ne vous crois pas.

LE COMMISSAIRE

Il m'a parlé.

MÈRE MARIE

Qu'est-ce qu'il vous a dit ?

LE COMMISSAIRE

Qu'après avoir escaladé le mur du potager voisin, il a été poursuivi par les chiens et contraint de se réfugier ici de nouveau. La précision n'est-elle pas faite pour vous convaincre ?

MÈRE MARIE

Elle ne me convainc qu'à moitié.

LE COMMISSAIRE

J'ajouterai donc qu'une jeune religieuse est aussi cachée
là-bas, depuis hier matin, à ce qu'elle dit. Elle m'a paru
mourir de peur.

MÈRE MARIE *(sans plus rien cacher)*

Dieu soit donc béni ! C'est sûrement Sœur Blanche et je
ne savais où la chercher... Soyez remercié pour cette
nouvelle, Monsieur.

Un silence. Coup d'œil circulaire.

LE COMMISSAIRE

J'emmène avec moi les commissaires et la patrouille. Il
ne restera ici, jusqu'au soir, que les ouvriers. Méfiez-
vous du forgeron Blancard, il a été élevé chez les
Bénédictins de Restif et parle le langage des prêtres.
C'est un dénonciateur.

*Il s'éloigne. Les commissaires se concertent un long
moment auprès de la porte. On comprend que la
discussion est vive. Ils finissent par s'éloigner, après
avoir rassemblé la patrouille.*

SCÈNE XII

*L'écran montre d'abord le petit couvent dévasté,
mais maintenant débarrassé de ses envahisseurs.
L'ouvrier qui le quitte le dernier s'arrête un moment
sur le seuil pour boire au goulot une dernière gorgée.
Puis il lance la bouteille contre le mur. On a fait une
espèce de porte avec les planches brisées liées par un
fil de fer.*

SCÈNE XIII

*La Communauté est maintenant rassemblée dans la
sacristie. On voit l'échelle et l'échafaudage qui ont
permis de descendre les cloches. Dévastation. Tout
est plein de paille, de plâtras, la grille du chœur est en
partie descellée. Une religieuse fait le guet près de la
porte. Quelques chandelles. Les habits très modestes
de l'aumônier sont marqués de terre, ses chaussures
pleines de boue, une manche déchirée pend le long
du poignet, sur une chemise qu'on devine très fine et
très soignée.*
Un silence.

MÈRE MARIE

Parlez-leur, mon Père, elles sont depuis longtemps
disposées à l'engagement qu'elles vont prendre.

L'AUMÔNIER

Cela n'est pas tout à fait de mon ministère, et je crois
plus convenable, en l'absence forcée de Sa Révérence,
que vous parliez vous-même à la Communauté. Mon rôle
ne sera jamais que de recevoir et de bénir le vœu que
vous allez prononcer, pourvu que ce soit en toute
connaissance de cause, après réflexion et librement.

*Le visage de Mère Marie ne marque aucune contra-
riété pour cette réponse. Elle est toujours extraordi-
nairement simple et naturelle.*

MÈRE MARIE

Mes filles, un petit mot d'abord. Je sais que quelques-
unes d'entre vous s'inquiétaient depuis hier au sujet de
notre chère Sœur Blanche. Mademoiselle de la Force n'a
jamais quitté cette maison et c'est elle (*Sœur Blanche
sursaute, ses traits expriment d'abord une surprise
joyeuse, puis le doute et de nouveau l'inquiétude*) qui a eu

même l'honneur de tenir compagnie à Monsieur l'Aumônier, dans des conditions qu'il ne me serait pas permis de révéler, même si je le jugeais utile, puisque je risquerais ainsi de compromettre un ami, ou du moins un auxiliaire utile. Cela dit, venons-en à ce qui nous rassemble. Je propose que nous fassions ensemble le vœu du martyre pour mériter le maintien du Carmel, et le salut de notre patrie.

Aucun enthousiasme. Les Sœurs se regardent entre elles.

Je me félicite de vous voir accueillir cette proposition aussi froidement que le Seigneur m'inspire de la faire. Il ne s'agit pas, en effet, d'offrir nos pauvres vies en nous faisant trop illusion sur le prix qu'elles valent, car jamais ne fut plus vrai qu'aujourd'hui le vieux dicton qui assure que la manière de donner vaut mieux que ce qu'on donne. Nous devons donner notre vie avec décence. La donner même à regret, ou du moins avec une arrière-pensée de tristesse, ne saurait nullement offenser la décence. Ce serait, au contraire, y manquer gravement et grossièrement que de nous monter la tête entre nous avec de grands mots et de grands gestes, comme les militaires, avant l'assaut, boivent de l'alcool assaisonné de poudre.

MÈRE JEANNE

A quoi nous engageons-nous exactement par ce vœu ?

MÈRE MARIE

Non pas, bien entendu, à n'importe quelle démarche violente et indiscrète qui ne serait que provocation et défi à l'égard de ceux qui sont bien capables de se venger de nous sur des innocents. Mais il est des moyens légitimes d'éviter le martyre et nous nous en interdisons par avance l'usage, comme un malade refuse la médecine qui le sauverait, afin qu'elle puisse servir à d'autres.

La vieille Mère Jeanne se concerte de nouveau avec ses voisines.

MÈRE JEANNE

Nous approuvons parfaitement les explications et les
réserves de Votre Révérence, mais nous craignons
qu'elles ne soient mal comprises par les éléments les plus
jeunes de cette communauté. L'inconvénient de ces
vœux exceptionnels est qu'ils risquent de diviser les
esprits et même d'opposer les consciences.

Mère Marie écoute en silence. Elle ne se hâte pas de
répondre.

MÈRE MARIE

Voilà pourquoi j'ai toujours pensé que le principe et
l'opportunité d'un tel vœu devaient être reconnus par
toutes. L'opposition d'une seule d'entre vous m'y ferait
renoncer sur-le-champ.

Depuis quelques minutes, Sœur Constance observe à
la dérobée d'abord, puis ouvertement, Blanche de la
Force. Blanche paraît très lasse. Il faut qu'on sente
bien qu'elle sera désormais le jouet des circonstances,
et qu'en tout cas elle n'osera jamais s'opposer
publiquement à ses compagnes.

MÈRE GÉRALD

(un peu sourde à laquelle on vient de parler à l'oreille)

Dans un cas semblable, les plus vieilles devraient parler
pour les plus jeunes, et en leur nom. D'être sage à vingt
ans, hélas ! il y a plus souvent de honte que d'honneur.

MÈRE MARIE

Mon intention est que nous décidions de la chose par un
vote secret. Du moins, Monsieur l'Aumônier recevra-t-il
nos réponses, et sous le sceau du Sacrement.

Le visage de Blanche s'éclaire visiblement. Sœur
Constance ne la quitte plus des yeux. Mère Marie aux
vieilles religieuses :

Cela vous apporte-t-il toute satisfaction, mes Mères ?

Mère Gérald se fait répéter ces paroles et dit :

MÈRE GÉRALD

Un grand apaisement du moins.

L'AUMÔNIER

Il suffira que vous passiez tour à tour derrière l'autel.

Les religieuses se lèvent. On distingue un groupe de jeunes religieuses. L'une d'elles désigne d'un discret mouvement du menton Sœur Blanche, et dit tout bas :

SŒUR SAINT-CHARLES

Gageons qu'il y aura une voix contre.

Sœur Constance est tout près. On ne sait si elle a entendu. Elle tient les paupières baissées. Une à une les religieuses disparaissent derrière l'autel et reparaissent presque aussitôt. Il est indispensable que tout cela se fasse très rapidement. Lorsque Blanche reparaît, son visage est hagard (ce pourrait être celui d'une personne qui vient de se décider à pile ou face). Constance la suit maintenant du regard. Les religieuses se rassoient. L'aumônier s'approche de Mère Marie et lui dit quelques mots à voix basse. Mère Marie déclare, toujours avec le même calme :

MÈRE MARIE

Il y a une seule opposition. Cela suffit.

Sœur Constance est pâle comme une morte.

SŒUR SAINT-CHARLES *(tout bas)*

On sait laquelle...

SŒUR CONSTANCE

Il s'agit de moi.

Stupéfaction générale. Blanche commence à pleurer, la tête dans ses mains.

SŒUR CONSTANCE

Monsieur l'Aumônier sait que je dis vrai... Mais... Mais... Je me déclare maintenant d'accord avec vous toutes, et... je... je désire... je voudrais que vous me laissiez prononcer ce vœu...

> *Un silence.*

Je vous en supplie au nom du bon Dieu.

L'AUMÔNIER

J'en décide ainsi. Rejoignez vos compagnes, Sœur Constance. Vous viendrez ici, deux par deux. Sœur Sacristine, ouvrez le livre des Saints Évangiles, et posez-le sur le prie-Dieu.

> *L'aumônier revêt en hâte ses ornements. Mère Marie remet le livre entre les mains d'une lectrice qui commence à lire à haute voix* recto tono, *un extrait du Martyrologe.*

L'AUMÔNIER

Les plus jeunes d'abord. Sœur Blanche et Sœur Constance je vous prie.

> *Le contraste entre les deux visages de Blanche et de Constance reste toujours aussi frappant. Elles s'age-nouillent côte à côte, et offrent leur vie à Dieu pour le salut du Carmel et de la France. Il faudrait bien qu'on entendît alors quelque chose des rumeurs de la ville, chansons, défilés que sais-je ? mais très assour-dis. La voix de Blanche est très distincte et forcée, on doit plus ou moins comprendre qu'elle épuise ses dernières forces. Quand elle regagne sa place, au fond de la pièce, il y a un brouhaha de religieuses qui cherchent, selon la volonté de l'aumônier, à se grouper d'après l'âge. A la faveur de ce brouhaha, on voit Sœur Blanche quitter la chapelle et s'enfuir.*

SCÈNE XIV

> *Les religieuses sont en civil, et quittent le couvent, leur baluchon à la main. Pendant ce temps le sac de*

*la maison continue. Sur ces entrefaites la Prieure
revient. On la voit d'abord entre ses religieuses qui se
pressent autour d'elle. La Prieure demande sponta-
nément, sans arrière-pensée :*

LA PRIEURE

Vous êtes toutes là, mes petites filles ? Je vous retrouve
toutes ?

*Quelques regards gênés, la Prieure n'insiste pas. On
la sent maintenant pressée de se retrouver seule avec
Mère Marie de l'Incarnation. Les voilà seules.*

LA PRIEURE

Enfin, vous avez décidé de prononcer ce vœu ?

MÈRE MARIE

Je n'espérais pas beaucoup vous revoir, du moins en ce
monde... Sinon...

LA PRIEURE

Oh ! je ne vous blâme pas ! J'ai toujours craint seulement
que vous ne vous trompiez lorsque la générosité vous
inspire d'opposer à l'exaltation du mal l'exaltation du
bien, ainsi que deux voix puissantes qui cherchent à se
couvrir l'une l'autre. C'est quand le mal fait le plus de
bruit que nous devons en faire le moins, tels sont la
tradition et l'esprit d'un ordre comme le nôtre, voué à la
contemplation. Oui, c'est quand le pouvoir du mal, qui
n'est d'ailleurs qu'apparence et illusion, se manifeste
avec plus d'éclat que Dieu redevient le petit enfant de la
Crèche, comme pour échapper à sa propre justice, aux
exigences de sa propre justice, et pour ainsi dire la
tromper. Et si tout s'est vraiment passé comme vous
venez de me le dire, n'est-ce pas la douce enfance du
Seigneur, dans la personne de notre pauvre petite fille
Blanche, qui risque de faire les frais de cette manifesta-
tion d'héroïsme ?
En croyant assurer notre salut n'avons-nous pas
compromis le sien ? Oh ! je ne suis qu'une pauvre
religieuse très terre à terre et pourtant j'ai toujours

volontiers pensé que si la force est une vertu, il n'y a pas assez de cette vertu pour tout le monde, que les forts sont forts aux dépens des faibles et que la faiblesse sera finalement réconciliée et glorifiée dans l'universelle rédemption...

Le visage de Mère Marie de l'Incarnation est penché vers la terre. Un long silence.

MÈRE MARIE

Dès que la chose sera possible, je solliciterai de Votre Révérence la permission d'aller chercher Mademoiselle de la Force à Paris.

LA PRIEURE

Je ne vous la refuserai pas.

Un silence.

Il m'en coûtera pourtant beaucoup de rester seule en un tel moment.

Mère Marie glisse à genoux devant la Prieure.

MÈRE MARIE

Je demande pardon à Votre Révérence pour la faute que j'ai commise. Dieu veuille que je l'expie assez durement pour que nul n'en souffre dommage que moi.

La Prieure la bénit et l'embrasse.

Cinquième tableau

SCÈNE I

Hôtel de la Force, perron désert. Un homme arrive, un sans-culotte : cocarde, bonnet phrygien. Il pénètre dans l'hôtel (escalier du fond), s'avance vers le salon et appelle doucement : « Mademoiselle Blanche ! » Aucune réponse. On entend l'homme monter l'escalier.
Chambre de Blanche. Elle s'entend appeler, croit que c'est son père, ouvre la porte, se précipite. En voyant l'homme, elle pousse le même cri d'horreur qu'au début du film. Elle se rejette dans sa chambre, s'y enferme. L'homme essaie de la rassurer à travers la porte : « Ouvrez ! c'est moi, Antoine, votre cocher. Votre père est arrêté, il faut aller le délivrer. »

SCÈNE II

La Conciergerie. Intérieur de la cellule avec une vingtaine de prisonniers. Désordre. Allées et venues de gens très énervés mais qui le laissent paraître le moins possible et se reprennent dès qu'il le faut. Soupirail donnant sur une cour intérieure d'où vient une rumeur incessante, qui parfois grandit, au point de couvrir le bruit des conversations. Appels, roulements de tambours, piétinements, bruits de charrettes. Rien qui fasse penser à la discipline d'un camp de prisonniers moderne. De temps en temps, un révolutionnaire (ou une) vient s'accroupir contre le soupirail, la face contre les barreaux, et lance des injures ou des plaisanteries. Un geôlier entre et appelle.

LE GEÔLIER

Le ci-devant Comte de Guiches.

UN PRISONNIER *(ironiquement)*

C'est le Marquis, citoyen !

LE GEÔLIER

Mon papier porte Comte et non Marquis.

Quelques prisonniers s'arrêtent de parler pour mieux entendre. La plupart continuent leurs conversations.

UN PRISONNIER

Tu tiens ton papier à l'envers, citoyen !

LE GEÔLIER

Bast ! Le greffier m'a lu la chose et si je ne sais pas lire, parguienne ! je ne suis pas sourd.

Le Marquis de Guiches a fait un mouvement pour prendre le papier, mais il hausse les épaules et dit :

LE MARQUIS

Bah ! Tu m'as toujours eu l'air d'un brave homme. Autant m'en rapporter à toi là-dessus.

Il s'approche d'une jeune femme qui, à l'entrée du geôlier, a interrompu une partie de cartes et se tient debout, avec un courageux sourire.

LE MARQUIS

Ma chère Héloïse, je vous prie de me garder ces bibelots. Je les ai serrés dans le mouchoir que voici, et c'est, ma foi, ce que je possédais encore en ce monde. Je n'emporterai dans l'autre que vos bonnes grâces, mon ange.

Un silence.

Mon frère cadet va bien rire. Nous étions en procès depuis sept ans pour une bicoque qui ne vaut pas cinq mille livres, et je lui laisse tout... Il est vrai que c'est faute de tenir à rien... A Dieu, Héloïse. Je vous baiserais bien les mains, si la chose n'était ici ridicule.

Il s'adresse au prisonnier à cheveux gris, partenaire de la jeune femme, et qui a cessé lui aussi la partie.

Gontran, vous donnerez pour moi un écu à ce brave homme, et vous présenterez mes civilités au Marquis de la Force. Je le vois là-bas qui sommeille et je n'oserais pas le réveiller pour si peu.

A Héloïse.

A Dieu, mon cœur.

La prisonnière se raidit visiblement mais elle lui donne toujours courageusement son sourire, jusqu'au bout, jusqu'à ce qu'il ait franchi la porte. Entre-temps, le prisonnier s'est rassis.

GONTRAN

Donnerez-vous les cartes ?

HÉLOÏSE

Non, je n'ai pas de goût ce soir au jeu.

GONTRAN

A votre bon plaisir.

Il rassemble les cartes et les glisse dans sa poche en bâillant. La prisonnière reste debout, très droite, les yeux baissés, mais le front haut.
Le prisonnier fait quelques pas vers la cheminée devant laquelle se tient un jeune homme dont les mains sont noires de suie. Le bruit redouble à l'extérieur. A l'intérieur, les voix se haussent d'autant. Allées et venues.

GONTRAN

Alors, jeune homme, où en êtes-vous de vos entreprises ?

LE JEUNE HOMME

Je viens de préparer mon travail pour cette nuit. Oh ! si j'avais un autre outil que cette mauvaise lime, nous serions ce soir hors d'ici. Mais d'user ce vieux fer, ligne par ligne, c'est le diable...

GONTRAN

Le diable, c'est se donner tant de mal pour ne pas mourir.

LE JEUNE HOMME

Non, mais pour vivre. N'avez-vous pas honte de vous laisser tous tuer sans rien faire ?

GONTRAN

Et que voulez-vous faire qui compte ? A parler franc, n'y eût-il qu'une chance sur cent d'être tiré de là par les pieds, comme un blaireau de son trou, que je préférerais mille fois la charrette !

LE JEUNE HOMME

Les hommes de votre génération n'aiment pas la vie.

GONTRAN

Nous avons joui d'elle, et elle jouit de vous. Nous l'avons possédée, et c'est elle qui vous possède. Vous y tenez comme à une maîtresse qui ne s'est jamais déshabillée devant vous...

UN AUTRE GEÔLIER

Le ci-devant Marquis de la Force.

Le Marquis se réveille. Il prend une prise et se lève.

SCÈNE III

Le tribunal, entre deux portes de guichet. Interrogatoire du Marquis.

UN DES JUGES

Il y a là un homme qui vient réclamer le ci-devant au nom de sa section.

UN JUGE

Qu'il entre.

Le cocher entre, tenant par la main Blanche terrorisée.

LE COCHER

Citoyens juges, la jeune et intéressante personne qui m'accompagne est la fille du ci-devant. La République vient de la tirer de la main des prêtres qui l'avaient arrachée à son vieux père, pour l'enfouir à jamais dans les geôles du fanatisme et de la superstition... La petite citoyenne vient remercier ses protecteurs et ses libérateurs.

Le tribunal prononce la libération de Blanche et de son père.

SCÈNE IV

Hôtel de la Force. Grand salon. Le Marquis est assis dans son fauteuil. Blanche, à genoux à côté de lui, cache sa tête sur ses genoux. Il la rassure. Le cocher fait le maître de la maison et régale les camarades qui ont accompagné le Marquis et sa fille.

SCÈNE V

Compiègne. Les Carmélites, en civil, sont réunies en face d'officiers municipaux.

UN DES OFFICIERS

Citoyennes, nous vous félicitons de votre discipline et de votre civisme. Mais nous vous avertissons que la Nation aura désormais les yeux sur vous.

Pas de vie de Communauté, pas de relations avec les ennemis de la République, ni avec les prêtres réfractaires, suppôts du Pape et des Tyrans. Dans dix minutes, vous viendrez prendre, une à une, au bureau, le certificat qui vous permettra de jouir de nouveau des bienfaits de la liberté, sous la surveillance et la protection des Lois.

Il sort. Les religieuses, qui se tenaient sur deux rangs, se rapprochent les unes des autres. La Prieure et Mère Marie restent seules, hors du groupe. La Prieure fait signe à l'une des religieuses, c'est une vieille religieuse qui dans ses vêtements civils a tout à fait l'air d'une pauvre femme quelconque.

LA PRIEURE

Sœur Gérald, il faut absolument prévenir le prêtre. Nous avions convenu qu'il devait célébrer aujourd'hui la sainte Messe et je vois bien maintenant qu'il y aurait à cela trop de péril pour lui et pour nous.

Mère Gérald sort. Un silence.

LA PRIEURE

Vous ne le croyez pas, Mère Marie ?

MÈRE MARIE

Je me fie à Votre Révérence pour tout ce que je dois désormais croire ou ne pas croire, mais si j'ai eu tort d'agir comme j'ai fait, il n'en reste pas moins que ce qui est fait est fait. Comment accorder l'esprit de notre vœu avec cette prudence ?

LA PRIEURE

Chacune de vous répondra de son vœu devant Dieu, mais c'est moi qui répondrai de vous toutes et je suis assez vieille pour savoir tenir mes comptes en règle.

SCÈNE VI

La scène change. On voit le prêtre revenir avec Mère Gérald. Il s'avance vers la Prieure. Aussitôt près d'elle, il se retourne et bénit les religieuses qui s'agenouillent toutes ensemble.

SCÈNE VII

La scène change encore. L'aumônier est maintenant dans une petite pièce, seul avec la Prieure et Mère Marie de l'Incarnation.

L'AUMÔNIER

Oui, le Marquis de la Force a bien été guillotiné, mes renseignements sont sûrs.

LA PRIEURE

Que faire pour Blanche ?

L'AUMÔNIER

J'aurais voulu la cacher quelque temps à la campagne, afin qu'elle y reprît des forces. Mais la pauvre fille se trouve hors d'état de me seconder dans une telle entreprise. A ce que dit ma nièce, les gardiens de l'hôtel la traitent en servante, et elle est sous leur surveillance

jour et nuit. Tôt ou tard elle aura le sort de son père.
Nous ne réussirons pas à sauver sa vie mais peut-être la
préserverons-nous d'une mort misérable. Il faut la rame-
ner à Compiègne.

MÈRE MARIE

Avec la permission de Sa Révérence, j'irai la chercher et
je la ramènerai.

L'AUMÔNIER

Voici un mot pour ma nièce, Rose Duror, l'actrice. C'est
une bonne fille en qui nous pouvons avoir confiance, et
qui est au courant de tout. Si vous réussissez à conduire
Blanche chez elle, le plus difficile sera fait. Je tâcherai de
vous y rejoindre.

SCÈNE VIII

*Hôtel de la Force. Dans une chambre au premier,
Blanche accroupie près du foyer fait la cuisine. On
entend la porte d'en bas s'ouvrir, un pas monter
l'escalier, une voix de femme appeler et une main
frapper à la porte. Blanche, sur la pointe des pieds,
va à la cheminée, y prend une clef, traverse la pièce,
et sort par la porte opposée à celle où l'on frappe.
Traversant deux ou trois pièces, elle entrebâille une
porte qui lui permet de voir qui est là sans être vue.
Elle reconnaît Mère Marie de l'Incarnation, elle
ouvre la porte toute grande, et Mère Marie sursaute à
ce bruit. Elles entrent toutes les deux par la porte où
Marie frappait et dans la pièce où Blanche se tenait.*

BLANCHE

C'est vous...

*Blanche regarde Mère Marie avec une expression
singulière d'affection humble et de méfiance.*

MÈRE MARIE

Oui, je viens vous chercher. Il est temps.

BLANCHE

Je ne suis pas libre maintenant de vous suivre... Mais dans quelque temps... Peut-être.

MÈRE MARIE

Non pas dans quelque temps, mais tout de suite. Dans quelques jours il sera trop tard.

BLANCHE

Trop tard pour quoi ?

> *Mère Marie frissonne. On comprend que ce début de conversation la déçoit et la déconcerte.*

MÈRE MARIE

Pour votre salut.

BLANCHE

Mon salut...

> *Silence.*

Allez-vous dire que je serai en sûreté là-bas ?

MÈRE MARIE

Vous y courrez moins de risques qu'ici, Blanche...

BLANCHE

Je ne puis vous croire. En des temps pareils, est-il une autre sécurité que la mienne ? Où je me trouve, qui penserait à me chercher ? La mort ne frappe qu'en haut... Mais je me sens si fatiguée, Mère Marie !

> *Elle grelotte.*

Voilà mon ragoût qui brûle ! C'est votre faute !

> *Elle est à genoux devant le feu, soulève le couvercle de la casserole.*

Mon Dieu ! Mon Dieu ! que vais-je devenir ?

Mère Marie s'est agenouillée aussi, elle se hâte de transvaser le ragoût dans une autre casserole. Puis elle couvre le feu de cendres, et remet la casserole dessus après l'avoir sentie.

MÈRE MARIE

Ne vous tourmentez pas Blanche, voilà le mal réparé.

Blanche sanglote.

Pourquoi pleurez-vous ?

BLANCHE

Je pleure de vous voir si bonne. Mais j'ai honte aussi de pleurer. Je voudrais qu'on me laissât en paix, que personne ne pensât plus à moi...

Avec une soudaine violence :

Qu'est-ce qu'on me reproche ? Qu'est-ce que je fais de mal ? Je n'offense pas le bon Dieu. La peur n'offense pas le bon Dieu. Je suis née dans la peur, j'y ai vécu, j'y vis encore, tout le monde méprise la peur, il est donc juste que je vive aussi dans le mépris. Voilà longtemps que je le pense. Le seul être qui aurait pu m'empêcher de le dire, c'était mon père. Il est mort. Ils l'ont guillotiné voilà peu de jours.

Elle se tord les mains.

Dans sa propre maison, moi si indigne de lui et de son nom, quel autre rôle ai-je à tenir que celui de misérable servante ? Hier même, ils m'ont frappée...

Avec une espèce de défi :

Oui, ils m'ont frappée.

Un silence.

MÈRE MARIE

Le malheur, ma fille, n'est pas d'être méprisée, mais seulement de se mépriser soi-même.

Nouveau silence. Puis d'une voix ferme, mais très simple, très unie.

Sœur Blanche de l'Agonie du Christ ?

A l'appel de Mère Marie, Blanche se lève comme malgré elle, et se tient debout, les yeux secs.

BLANCHE

Ma Mère ?

MÈRE MARIE

Je vais vous donner une adresse. Retenez-la bien. Mlle Rose Ducor, 2, rue Saint-Denis. Cette personne est prévenue. Vous serez chez elle en sûreté. Rose Ducor..., 2, rue saint-Denis.

Une pause.

Je vous attendrai là jusqu'à demain soir.

BLANCHE

Je n'irai pas. Je ne peux pas y aller.

MÈRE MARIE

Vous irez. Je sais que vous irez, ma Sœur.

A ce moment on entend la gardienne appeler Blanche pour les commissions. Blanche court et laisse Mère Marie qui s'esquive.

SCÈNE IX

On voit Blanche dans la rue. Elle porte un petit cabas d'où dépassent des salades. Agitation. Bruit qui se rapproche. Le Ça ira. *Les passants commencent à se disperser çà et là. Irruption d'une troupe de sans-culottes, armés de piques et de sabres, derrière un homme portant une tête à la pointe de la pique. Cinq ou six passants, dont Blanche, n'ont que le temps de se jeter dans une porte cochère ouverte dont ils repoussent le battant. Ils se trouvent dans une petite cour. Le bruit grandit dans la rue. Les passants réfugiés là se regardent d'abord avec méfiance. Il y a deux vieilles femmes, une très jeune fille, un vieux monsieur vêtu pauvrement mais l'air assez d'un ci-devant, et un jeune homme qui, après avoir inspecté les lieux, franchit un mur et disparaît. Ceux qui restent paraissent se rassurer peu à peu, Blanche reste à l'écart. Une des vieilles femmes prend la parole.*

LA VIEILLE FEMME

M'est avis que nous ne sommes point au bout de nos peines.

LE VIEUX MONSIEUR

Il est vrai que la vie à Paris devient de plus en plus difficile !

L'AUTRE VIEILLE

Oh ! elle n'est point meilleure autre part, Monsieur.

LA PREMIÈRE VIEILLE

Sinon pire. Moi, je suis de Nanterre...

L'AUTRE VIEILLE

Et moi de Compiègne.

Blanche sursaute. On sent qu'il lui faut surmonter sa peur. Elle dit d'une voix profondément altérée :

BLANCHE

Vous venez de Compiègne ?

L'AUTRE VIEILLE

Oui, ma belle. J'en vins hier avec une carriole de légumes. Il y a là-bas deux douzaines de mauvais drôles qui ont peur les uns des autres, et qui pour se rassurer font du bruit comme six cents. Avant-hier, ils ont arrêté ces dames du Carmel.

Elle regarde le visage bouleversé de Blanche et dit :

C'est-y que vous avez là des parentes ?

BLANCHE

Oh ! non, Madame. Et d'ailleurs je ne suis jamais allée à Compiègne. Voilà seulement huit jours que je suis arrivée à Paris, venant de la Roche-sur-Yon, avec mes patrons.

Elle s'efforce de dissimuler le tremblement nerveux qui l'a prise. Ses traits marquent la terreur, et aussi quelque chose qui ressemble à une résolution désespérée. Rassemblant brusquement son courage, elle se glisse dehors. Le vieux monsieur s'est assis sur un banc et tasse une prise entre ses doigts. Les deux vieilles se regardent en hochant la tête.

UNE VIEILLE

Drôle de servante, ma fine.

SCÈNE X

Blanche arrive chez Rose Ducor, elle est hors d'haleine, hors d'elle-même. Elle s'assoit sur une chaise. Elle a la tête dans les mains. Elle répète :

BLANCHE

Il faut les sauver ! Il ne faut pas qu'on les tue ! Il faut les sauver coûte que coûte ! Mon Dieu ! Mon Dieu ! Il ne faut pas qu'on les tue !

Rose Ducor et Mère Marie s'empressent autour d'elle.

MÈRE MARIE

Que voulez-vous dire ?

BLANCHE

(d'une voix entrecoupée
mais où l'on sent déjà la révolte et l'horreur)

J'allais faire mes courses au marché... comme chaque matin... lorsque... lorsqu'une vieille femme m'a dit...

MÈRE MARIE

Nos Sœurs sont en prison ?

BLANCHE

Oui.

MÈRE MARIE *(d'un accent profond)*

Dieu soit loué !

> *Silence. Les lèvres de Mère Marie remuent. On comprend qu'elle prie. Blanche a toujours la tête entre les mains. Au « Dieu soit loué ! » de Mère Marie, elle a pourtant nettement tressailli. Mère Marie lui touche l'épaule.*

Sœur Blanche, il nous faut aller à Compiègne.

> *Blanche relève la tête.*

BLANCHE

C'est vrai... Oh ! Mère Marie, s'il y a un moyen de les sauver, il me semble que j'aurai cette fois le courage...

MÈRE MARIE

Il ne s'agit pas de les sauver, mais d'accomplir avec elles le vœu que nous avons fait librement, il y a si peu de jours.

BLANCHE

Quoi ! nous les laisserons mourir sans rien tenter pour elles ?

MÈRE MARIE

Ce qui importe, ma petite fille, c'est de ne pas les laisser mourir sans nous.

BLANCHE

Hé ! qu'ont-elles besoin de nous pour mourir !

MÈRE MARIE

Est-ce une fille du Carmel qui parle ainsi ?

BLANCHE

Mourir, mourir, vous n'avez plus que ce mot à la bouche ! Serez-vous tous jamais las de tuer ou de mourir ? Serez-vous jamais rassasiés du sang d'autrui ou de votre propre sang ?

MÈRE MARIE

Il n'est d'horreur que dans le crime, ma fille, et c'est par le sacrifice des vies innocentes que cette horreur est effacée, le crime lui-même restitué à l'ordre de la divine charité…

Blanche frappe du pied.

BLANCHE

Je ne veux pas qu'elles meurent ! je ne veux pas mourir !

Elle se sauve sans que Mère Marie puisse la retenir. A la porte elle tombe sur le prêtre réfractaire qui s'exclame de joie :

L'AUMÔNIER

Chère Sœur Blanche, vous voilà ! Dieu soit loué !

Mais Blanche, tout à fait hors d'elle-même, regarde le prêtre d'un air égaré, lui échappe brusquement, et disparaît.

SCÈNE XI

L'AUMÔNIER

Que s'est-il passé avec Sœur Blanche ?

MÈRE MARIE

Vous l'avez vue ?

L'AUMÔNIER

Elle montrait une agitation extraordinaire. Elle est partie sans me dire un mot.

Mère Marie sourit.

MÈRE MARIE

Elle en est encore à se révolter comme un enfant. Mais qu'importe ! Rien ne saurait désormais la ravir à la douce pitié de Jésus-Christ.

Un temps.

Je partirai donc seule pour Compiègne.

Silence du prêtre.

Me désapprouvez-vous ?

L'AUMÔNIER

Non pas. Je pense seulement qu'il conviendrait d'attendre afin d'être mieux informés de ce qui se passe. Vos sœurs sont prisonnières, soit ! Mais il n'est nullement sûr qu'elles soient condamnées. Votre intervention ne risquerait-elle pas d'aggraver leur cas ?

MÈRE MARIE

Encore un coup, mon Père, si nous agissons toujours avec cette prudence, que restera-t-il de notre vœu de martyre ?

L'AUMÔNIER

Ma Mère, vous avez prononcé ce vœu dans l'obéissance et c'est dans l'obéissance que vous devez l'accomplir. Écrivez à votre Prieure, et demandez-lui ce que vous devez faire.

SCÈNE XII

La prison. Le matin. Il fait encore presque nuit.
Quelques Sœurs sont encore assises le dos au mur. Le
Petit Roi de Gloire est placé sur une mauvaise table.
Dans une cruche cassée, quelques fleurs fanées. La
table est recouverte d'un mouchoir blanc, trop étroit.
Une seule mauvaise chandelle à demi consumée. Les
religieuses viennent dans l'ombre s'agenouiller par
deux ou par trois devant l'image. On entend des
soupirs, qui pourraient aussi bien être des sanglots
étouffés. Plusieurs Sœurs toussent. Froid et angoisse
de l'aube. Un peu à l'écart, dans l'angle de la pièce, à
droite de la table, la Prieure prosternée. Sœur
Constance, qui vient de s'agenouiller devant le Petit
Roi de Gloire, pousse, en se relevant, un cri de
douleur.

SŒUR VALENTINE

Qu'est-ce qui vous prend, Sœur Constance ?

SŒUR CONSTANCE

Je me suis endormie sous la lucarne, et voilà maintenant
que j'ai le torticolis. Mon pauvre cou...

Elle le frotte à deux mains en riant.

SŒUR SAINT-CHARLES *(avec un haut-le-corps)*

Oh ! Sœur Constance !

SŒUR ALICE

Si vos nerfs sont en bon état, pourquoi ébranler ceux des
autres ?

Sœur Constance comprend tout à coup et frissonne à
son tour...

SŒUR CONSTANCE

Mon Dieu, je... je...

SŒUR MARTHE

(coupant court, et d'une voix un peu forcée)

Moi, je n'ai pas dormi du tout. *(Plus bas.)* Notre pauvre vieille Mère Gérald a ronflé toute la nuit.

SŒUR GERTRUDE

C'est son catarrhe. Oh! je le connais bien. Ma cellule était près de la sienne.

Sœur Marthe pleure.

SŒUR FÉLICITÉ

Pourquoi pleurez-vous, Sœur Marthe?

SŒUR SAINT-CHARLES *(de plus en plus énervée)*

Pourquoi? Pourquoi?... Et pourquoi donc dites-vous « ma cellule était ». Pourquoi parler de notre chère maison comme si nous ne devions jamais la revoir?

La Prieure a frappé discrètement dans ses mains, les religieuses se groupent autour d'elle. Le jour commence à peine.

LA PRIEURE

Mes filles, voilà que s'achève notre première nuit de prison. C'était la plus difficile. Nous en sommes venues à bout quand même. La prochaine nous trouvera tout à fait familiarisées avec notre nouvelle condition qui d'ailleurs n'est pas nouvelle pour nous; il n'est, en somme, de changé que le décor. Nul ne saurait nous ravir une liberté dont nous nous sommes dépouillées depuis longtemps.

SŒUR CLAIRE

C'est à Dieu qu'elle appartient, mais Votre Révérence en reste l'usufruitière de par la charge à laquelle nous l'avons volontairement et librement désignée.

LA PRIEURE

Que voulez-vous dire, Sœur Claire ?

SŒUR CLAIRE

Je veux dire que, même en se dépouillant de la liberté, Votre Révérence garde la charge et la disposition de la nôtre, qu'elle ne peut donc s'en remettre entièrement à Dieu de notre sort.

AUTRES VIEILLES RELIGIEUSES

C'est juste… C'est juste…

Murmures des jeunes religieuses.

SŒUR CLAIRE

Mes petites filles, il est possible qu'à votre âge l'obéissance semble encore un oreiller moelleux où l'on n'a qu'à laisser reposer sa tête. Mais nous savons, nous, que l'obéissance, pour paraître si différente du commandement, est aussi une charge. Oui ! Oui ! mes petites filles, il est aussi difficile d'apprendre à obéir qu'à commander. Obéir n'est pas se laisser passivement conduire, ainsi qu'un aveugle suit son chien. Une vieille religieuse comme moi ne souhaite rien de plus que mourir dans l'obéissance, mais dans une obéissance active et consciente. Nous ne disposons de rien en ce monde. C'est entendu. Il n'en est pas moins vrai que notre mort est notre mort, personne ne peut mourir à ma place.

SŒUR SAINT-CHARLES *(qui n'y tient plus)*

Quoi, faut-il toujours entendre parler de mourir ? Pourquoi mourir ! Ne sommes-nous pas innocentes ?

SŒUR CONSTANCE

Taisez-vous, Sœur Saint-Charles…

SŒUR MATHILDE

Sommes-nous même si sûres d'être sacrifiées en haine de la foi ? N'allons-nous pas payer les fautes d'autrui ?

SŒUR SAINT-CHARLES

Elle a raison. Qu'avons-nous à faire dans toute cette
politique ?...

LA PRIEURE

La paix, mes filles ! Laissez-moi d'abord répondre à
Sœur Claire. Je sais que j'aurai charge de vous toutes
jusqu'à la fin, ma fille, je ne songe nullement à me
dérober.

SŒUR CLAIRE

Est-il dans les intentions de Votre Révérence de parler
seule en notre nom devant le Tribunal ? Et s'il n'en est
pas ainsi, jusqu'où pouvons-nous aller sans manquer au
vœu que nous avons fait ?

SŒUR ANNE

Oui, aurons-nous le droit de nous défendre ? Serons-
nous condamnées sans avoir été entendues ?

SŒUR VALENTINE

N'aurions-nous pas grand-honte de disputer nos pauvres
vies à des assassins de prêtres et à des pilleurs d'églises ?

LA PRIEURE *(élevant un peu la voix)*

Il n'y a pas de honte à se justifier, fût-ce devant des juges
sans foi. L'innocent qui se justifie rend plus témoignage à
la vérité qu'à lui-même...

Elle se tait un moment. Silence. On voit qu'elle prie.

Mes filles, c'est en mon absence que vous avez prononcé
ce vœu du martyre. Mais qu'il fût ou non opportun, Dieu
ne saurait permettre qu'un acte si généreux ne serve
maintenant qu'à troubler vos consciences. Hé bien,
j'assume ce vœu, j'en suis désormais responsable devant
Sa Majesté, je suis et serai, quoi qu'il arrive, seule juge
de son accomplissement. Oui, j'en prends la charge et
vous en laisse le mérite, puisque je ne l'ai pas prononcé
moi-même. Ne vous faites donc plus là-dessus aucun
souci, mes filles. J'ai toujours répondu de vous en ce

monde, et je ne suis pas aujourd'hui d'humeur à me tenir moi-même quitte de quoi que ce soit. Soyez tranquilles ! Je ferai de mon mieux pour vos vies et vos âmes, et en ce moment où je me sens plus que jamais votre Mère, elles me sont presque aussi précieuses les unes que les autres. Si j'ai tort, Dieu me pardonnera. Les mères des saints Martyrs, après tout, sont rarement au calendrier.

Une jeune religieuse, qui gardait la tête dans ses mains, s'avance et s'agenouille pour baiser la main de Sa Révérence. On voit les larmes couler encore sur son visage, qui exprime maintenant une confiance naïve, enfantine.

SŒUR GERTRUDE

Avec Votre Révérence, nous n'aurons jamais peur de rien.

D'autres religieuses s'approchent. Une des vieilles religieuses dit :

MÈRE JEANNE

Que Votre Révérence daigne nous bénir.

Elles s'agenouillent toutes, puis les conversations reprennent sur un tout autre ton qu'auparavant. Rumeur presque joyeuse.

SŒUR CONSTANCE

Et que devient Sœur Blanche ?

LA PRIEURE *(qui a entendu)*

Je n'en sais pas plus long là-dessus que vous ma petite fille.

SŒUR CONSTANCE

Elle reviendra.

SŒUR SAINT-CHARLES

Comment donc en êtes-vous si sûre, Sœur Constance ?

SŒUR CONSTANCE

Parce que… *(elle s'arrête déconcertée)* parce que… *(puis très confuse, mais incapable de revenir sur ce qu'elle a dit :)* A cause d'un rêve que j'ai fait.

On rit.

SŒUR FÉLICITÉ

Révérende Mère, pensez-vous que nous soyons jugées aujourd'hui ?

LA PRIEURE

Je l'ignore.

SŒUR SAINT-CHARLES *(très naïvement)*

Est-ce qu'on va nous interroger l'une après l'autre ? Est-ce que ça va durer longtemps ?

SŒUR ALICE

Et si… si nous… nous permettra-t-on de nous confesser ?

Sœur Constance montrant une jeune religieuse qui vient de pâlir et de mettre la tête dans ses mains, pose un doigt sur les lèvres.

SŒUR SAINT-CHARLES *(haussant les épaules)*

Bah ! nous ne sommes pas des femmelettes, après tout ! Mon Dieu ! Si Monsieur l'Aumônier pouvait seulement se trouver sur le chemin, je n'en demande pas plus !

LA PRIEURE

Allons, allons, mes filles, laissons là ces imaginations, rien ne presse… Je pense bien qu'au moins les plus jeunes d'entre vous se tireront de là sans dommage. Si ces gens-là ne sont pas des monstres, ou connaissent quelque chose de notre Sainte Règle, à quelle autre pourraient-ils s'en prendre qu'à moi ?

PLUSIEURS VOIX

Oh ! rien ne nous séparera plus de Votre Révérence !

SŒUR CLAIRE

Dieu sait que je n'échangerais pas volontiers mon sort contre celui de notre Mère Marie de l'Incarnation ou de notre Sœur Blanche.

MÈRE GÉRALD

Hélas ! elles doivent être arrêtées aussi...

SŒUR CLAIRE

Justement... Comment aurions-nous le courage de nous plaindre, alors que nous sommes réunies ici toutes ensemble !... Comme elles doivent nous envier ! Comme elles doivent se juger plus malheureuses que nous !

SCÈNE XIII

Le Tribunal prononce la condamnation à mort des seize Carmélites (y compris Mère Marie de l'Incarnation, condamnée par contumace) « pour avoir formé des conciliabules contre-révolutionnaires, entretenu des correspondances fanatiques et conservé des écrits liberticides ».

SCÈNE XIV

Les religieuses se rassemblent dans une petite cour intérieure. La Prieure parle :

LA PRIEURE

Mes filles, j'ai désiré de tout mon cœur vous sauver... Oui, j'aurais voulu que ce calice s'éloignât de vous, car je vous ai aimées dès le premier jour comme une mère selon la nature, et quelle mère fait de bon gré, fût-ce à Sa

Majesté elle-même, le sacrifice de ses enfants ? Si j'ai
mal fait, Dieu y pourvoira. Telle que je suis, vous êtes
mon bien, et je ne suis pas de celles qui jettent leur bien
par la fenêtre. Enfin, n'importe, mes filles, nous voilà au
terme, il ne s'agit plus que de mourir. Dieu soit béni qui
fait du supplice que nous allons subir ensemble comme
le dernier office de notre chère Communauté ! Mes enfants, l'heure est venue de vous rappeler le vœu que vous
avez prononcé. Jusqu'à ce moment, j'ai voulu en répondre seule. Je puis désormais n'en prendre que la part
qui me revient, et encore devrais-je la revendiquer humblement au nom de notre admirable Mère Marie de
l'Incarnation, car c'est de sa part que je dispose, quoique
indigne. Mes filles, je vous mets solennellement dans
l'obéissance, une dernière fois et une fois pour toutes,
avec ma maternelle bénédiction.

SCÈNE XV

*La Ducor arrive dans son appartement, sort de son
manteau la statue du Petit Roi de Gloire et la met sur
un meuble. Mère Marie de l'Incarnation s'agenouille
pour la vénérer.*

SCÈNE XVI

Chez Rose Ducor. Le prêtre arrive, bouleversé.

LE PRÊTRE

Elles sont condamnées à mort.

MÈRE MARIE

Toutes ?

LE PRÊTRE

Toutes !

MÈRE MARIE

Dieu ! *(Un silence.)* Et...

LE PRÊTRE

Ce sera pour aujourd'hui sans doute, ou demain... Que faites-vous, ma Mère ?

MÈRE MARIE

Je ne peux pas les laisser mourir sans moi !

LE PRÊTRE

Qu'importe votre volonté en cette affaire ? Dieu choisit ou réserve qui lui plaît.

MÈRE MARIE

J'ai fait le vœu du martyre...

LE PRÊTRE

C'est à Dieu que vous l'avez fait, c'est à lui que vous en devez répondre et non pas à vos compagnes. S'il plaît à Dieu de vous en relever, il ne reprend que ce qui lui appartient.

MÈRE MARIE

Je suis déshonorée !

LE PRÊTRE

Voilà le mot que j'attendais ! Oh ! je ne le condamne pas ! Il est bien chez vous le cri de la nature à l'agonie. Voilà ce sang, oui, voilà ce sang que Dieu vous demande, et qu'il vous faut verser ! Vous auriez donné avec joie celui qui coule dans vos veines, vous l'auriez versé comme l'eau. Mais chaque goutte de celui-ci vous arrache plus que la vie !

Mère Marie de l'Incarnation reste debout dans l'attitude d'un être qui rassemble ses forces pour résister à une torture presque intolérable.

MÈRE MARIE

Leur dernier regard me cherchera en vain.

LE PRÊTRE

Ne pensez qu'à un autre regard, auquel vous devez fixer
le vôtre.

SCÈNE XVII

*Place de la Révolution. Les Carmélites descendent de
la charrette au pied de l'échafaud. Au premier rang
de la foule compacte, on reconnaît, coiffé du bonnet
phrygien, le prêtre qui murmure l'absolution, fait un
furtif signe de croix et disparaît rapidement. Aussitôt
les Sœurs entonnent le* Salve Regina, *puis le* Veni
Creator. *Leurs voix sont claires et très fermes. La
foule, saisie, se tait. On ne voit que la base de
l'échafaud, où les Sœurs montent une à une, chantant
toujours, mais à mesure qu'elles disparaissent le
chœur se fait plus menu. Plus que deux voix, plus
qu'une. Mais à cet instant, partant d'un autre coin de
la grande place, une nouvelle voix s'élève, plus nette,
plus résolue encore que les autres, avec pourtant
quelque chose d'enfantin. Et on voit s'avancer vers
l'échafaud, à travers la foule qui s'écarte, interdite, la
petite Blanche de la Force. Son visage semble
dépouillé de toute crainte.*

> Deo Patri sit gloria
> Et Filio qui a mortuis
> Surrexit ac Paraclito
> In sæculorum sæcula.

*Brusque mouvement de foule. Un groupe de femmes
entoure Blanche, la pousse vers l'échafaud, on la
perd de vue. Et soudain sa voix se tait comme ont fait
une à une les voix de ses sœurs.*

Table

Table

Sous le soleil de Satan

Plon, 1926
Le Castor Astral, 2008
et « Le Livre de poche », n° 32427

L'Imposture

Plon, 1927
Le Castor astral, 2010

La Joie

prix Femina
Plon, 1929
Le Castor Astral, 2011

Un crime

Plon, 1935
Phébus, « Libretto », 2011

Journal d'un curé de campagne

Grand Prix du roman de l'Académie française
Plon, 1936
et « Pocket », n° 2301

Nouvelle Histoire de Mouchette

Plon, 1937
Le Castor Astral, 2009
et « Le Livre de poche », n° 32426

Les Grands Cimetières sous la lune

Plon, 1938
Le Castor Astral, 2008
et « Points », n° P91

Scandale de la vérité

Gallimard, 1939

Nous autres, Français

Gallimard, 1939

Lettre aux Anglais

Gallimard, 1946
et « Points Essais », n° 173

Monsieur Ouine
Plon, 1946, 2004
Le Castor Astral, 2008

Les Enfants humiliés
Journal 1939-1940
Gallimard, 1949
et « Folio », n° 303

Un mauvais rêve
Plon, 1950

La Liberté, pour quoi faire ?
Gallimard, 1953, 1972
et « Folio Essais », n° 274

Le Crépuscule des vieux
Gallimard, 1956

Œuvres romanesques complètes
Gallimard, « Bibliothèque de la Pléiade », 1961

La Grande Peur des bien-pensants
« Le Livre de poche », n° 3302

La France contre les robots
Fonds « Succession Bernanos »
Le Castor astral, 2009

Français, si vous saviez…
Gallimard, 1961, 1972
et « Folio Essais », n° 325

Le lendemain, c'est vous !
Fonds « Succession Bernanos »

La Vocation spirituelle de la France
Fonds « Succession Bernanos »

Œuvres « polémiques » complètes
Essais et écrits de combat, 2 tomes
Gallimard, « Bibliothèque de la Pléiade », 1971, 1995

Correspondance
Combat pour la vérité (t. I)
Combat pour la liberté (t. II)
Lettres retrouvées (t. III)
Plon, 1983

Les Prédestinés
Jeanne relapse et sainte, saint Dominique
et autres textes
(rassemblés et présentés par Jean-Loup Bernanos)
« Points Sagesses », n° 32
Desclée de Brouwer, 1994

Scandale de la vérité
suivi de
Nous autres, Français
(avant-propos et notes de Jean-Loup Bernanos)
« Points Essais », n° 156

Le Chemin de la Croix-des-Âmes
(édition complète)
Éditions du Rocher, 1987

Cahiers de Monsieur Ouine
(rassemblés et présentés par Daniel Pezeril)
Seuil, 1991

Dialogue d'ombres
Nouvelles. Premiers écrits
(préface de Jean-Loup Bernanos)
Seuil, 1991
et « Le Livre de poche », n° 3306

Romans
suivi de
Les Grands Cimetières sous la lune
Plon, 1994

L'Expérience de Dieu
Fides, 2001

Brésil, terre d'amitié
La Table ronde, 2009

Cet ouvrage a été imprimé en France par
CPI Bussière
à Saint-Amand-Montrond (Cher)
en novembre 2012.
N° d'édition : 28542-10. - N° d'impression : 124024.
Dépôt légal : février 1996.